하루 10분 서술형/문장제 학습지

씨투엠

수학 독해

B2 덧셈과 뺄셈

초2~초3

씨투엠

수학독해 : 수학을 스스로 읽고 해결하다

객관식이나 간단한 단답형 문제는 자신 있는데 긴 문장이나 풀이 과정을 쓰라는 문제는 어려워하는 아이들이 있어요. 빠르고 정확하게 연산하고 교과 응용문제까지도 곧잘 풀어내지만, 문제 속 상황이 약간만 복잡해지면 문제를 풀려고도 하지 않는 아이들도 많아요. 이러한 아이들에게 부족한 것은 연산 능력이나 문제 해결력보다는 독해력과 표현력입니다. 특히 수학적 텍스트를 이해하고 표현하는 능력, 즉 수학 독해력이지요.

요즘 아이들의 독해력이 약해진 가장 큰 이유는 과거에 비해 이야기를 만나는 방식이 다양해졌기 때문이에요. 예전에는 대부분 말이나 글로써만 이야기를 접했어요. 텍스트 위주로 여러 가지 사건을 간접 체험하고, 머릿 속으로 상황을 그려내는 훈련이 자연스럽게 이루어졌지요. 반면 요즘 아이들은 글보다도 TV나 스마트폰 등 영상매체에 훨씬 빨리, 자주 노출되기에 글을 통해 상상을 할 필요가 점점 없어지게 되었습니다.

그렇다고 아이들에게 어렸을 때부터 영화나 애니메이션을 못 보게 하고 책만 읽게 하는 것은 바람직하지 않고, 가능하지도 않아요. 시각 매체는 그 자체로 많은 장점이 있기 때문에 지금의 아이들은 예전 세대에 비해 이미지에 대한 이해력과 적용력이 매우 뛰어나답니다. 문제는 아직까지 모든 학습과 평가 방식이 여전히 텍스트 위주이기 때문에 지금도 아이들에게 독해력이 중요하다는 점이에요. 그래서 저희는 영상 매체에는 익숙하지만 말이나 글에는 약한 아이들을 위한 새로운 수학 독해력 향상 프로그램인 씨투엠 수학독해를 기획하게 되었어요.

씨투엠 수학독해는 기존 문장제/서술형 교재들보다 더욱 쉽고 간단한 학습법을 보여주려 해요. 문제에 있는 문장과 표현 하나하나마다 따로 접근하여 아이들이 어려워하는 포인트를 찾고, 각 포인트마다 직관적인 활동을 통해 독해력과 표현력을 차근차근 끌어올리려고 합니다. 또한 문제 이해와 풀이 서술 과정을 단계별로 세세하게 나누어 문장제, 서술형 문제를 부담 없이 체계적으로 연습할 수 있어요. 새로운 문장제 학습법인 씨투엠 수학독해가 문장제 문제에 특히 어려움을 겪고 있거나 앞으로 서술형 문제를 좀 더 잘 대비하고 싶은 아이들에게 큰 도움이 될 것이라 자신합니다.

씨투엠

수학독해의 구성과 특징

- 매일 부담없이 2쪽씩, 하루 10분 문장제 학습
- 매주 5일간 단계별 활동, 6일차는 중요 문장제 확인학습
- 5회분의 진단평가로 테스트 및 복습

주차별 구성

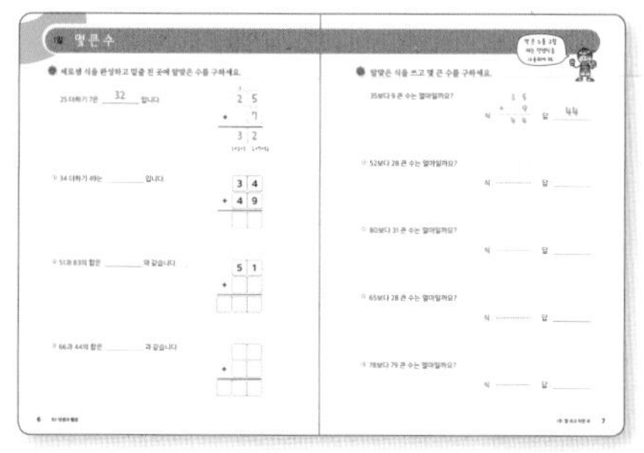

일일학습

꼬마 수학자들의
간단한 팁과 함께
매일 새롭게 만나는
단계별 문장제 활동

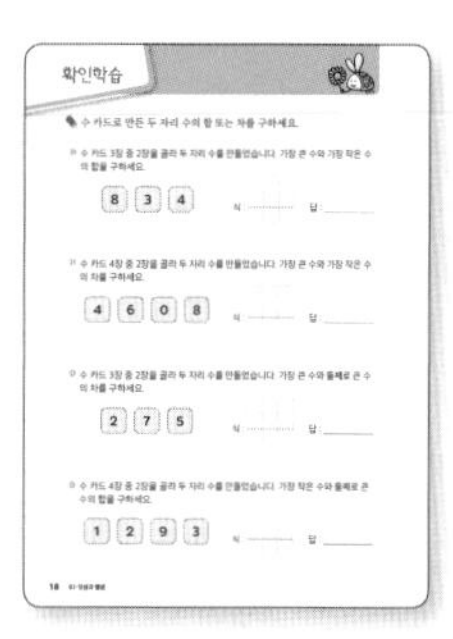

확인학습

중요 문장제 활동을
다시 한번 확인하며
주차 학습 마무리

	1일	2일	3일	4일	5일	확인학습
1주차	6쪽 ~ 7쪽	8쪽 ~ 9쪽	10쪽 ~ 11쪽	12쪽 ~ 13쪽	14쪽 ~ 15쪽	16쪽 ~ 18쪽
2주차	20쪽 ~ 21쪽	22쪽 ~ 23쪽	24쪽 ~ 25쪽	26쪽 ~ 27쪽	28쪽 ~ 29쪽	30쪽 ~ 32쪽
3주차	34쪽 ~ 35쪽	36쪽 ~ 37쪽	38쪽 ~ 39쪽	40쪽 ~ 41쪽	42쪽 ~ 43쪽	44쪽 ~ 46쪽
4주차	48쪽 ~ 49쪽	50쪽 ~ 51쪽	52쪽 ~ 53쪽	54쪽 ~ 55쪽	56쪽 ~ 57쪽	58쪽 ~ 60쪽

진단평가 구성

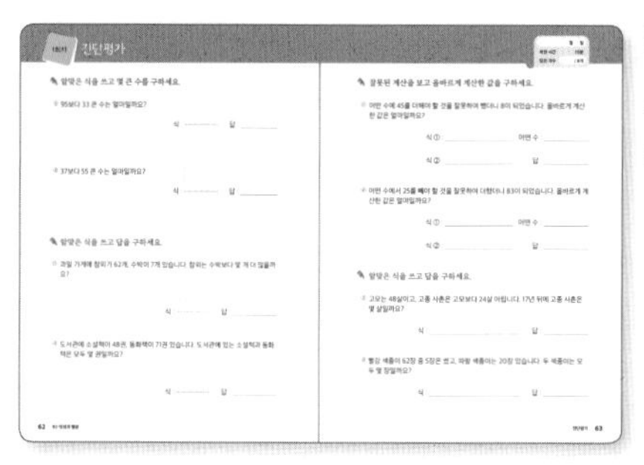

진단평가

4주 간의 문장제 학습에서 부족한 부분을
확인하고 복습하기 위한 자가 진단 테스트

	1회	2회	3회	4회	5회
진단평가	62쪽 ~ 63쪽	64쪽 ~ 65쪽	66쪽 ~ 67쪽	68쪽 ~ 69쪽	70쪽 ~ 71쪽

이 책의 차례

1주차

몇 크고 작은 수

1일 몇 큰 수

세로셈 식을 완성하고 밑줄 친 곳에 알맞은 수를 구하세요.

25 더하기 7은 ___32___ 입니다.

```
   1
   2 5
+    7
------
   3 2
```
1+2=3 5+7=12

① 34 더하기 49는 ________ 입니다.

```
   3 4
+  4 9
------
  □ □
```

② 51과 83의 합은 ________ 와 같습니다.

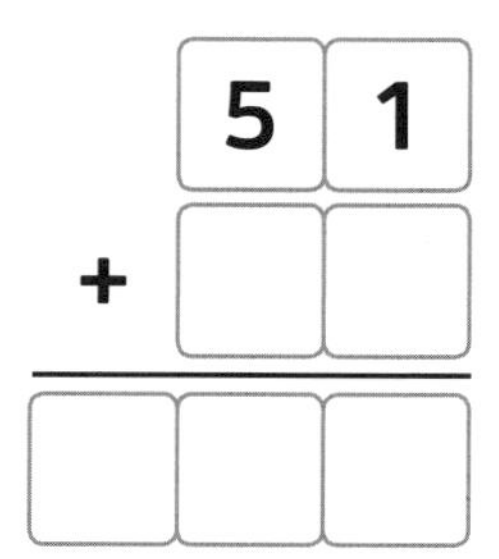

③ 66과 44의 합은 ________ 과 같습니다.

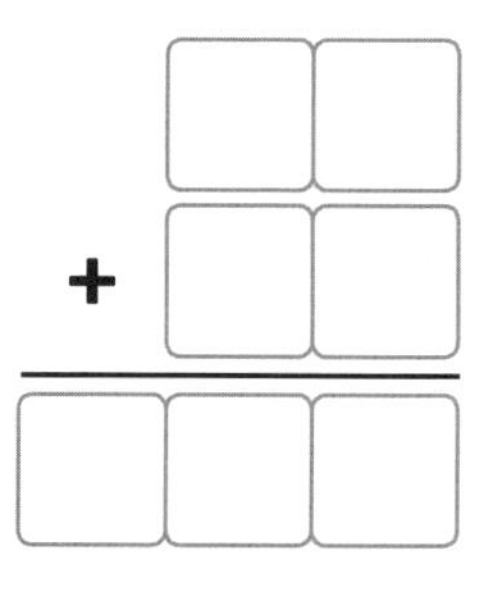

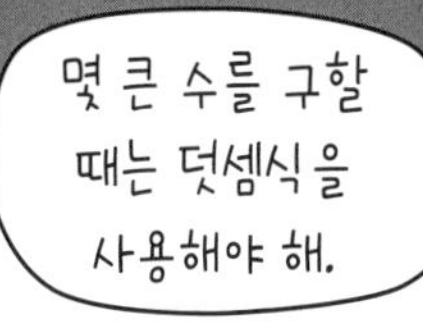

알맞은 식을 쓰고 몇 큰 수를 구하세요.

35보다 9 큰 수는 얼마일까요?

식 : $\begin{array}{r} 35 \\ +\ \ 9 \\ \hline 44 \end{array}$ 답 : 44

① 52보다 28 큰 수는 얼마일까요?

식 : 답 :

② 80보다 31 큰 수는 얼마일까요?

식 :  답 :

③ 65보다 28 큰 수는 얼마일까요?

식 : 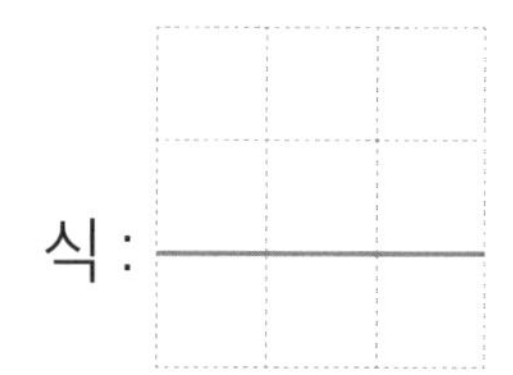 답 :

④ 78보다 79 큰 수는 얼마일까요?

식 : 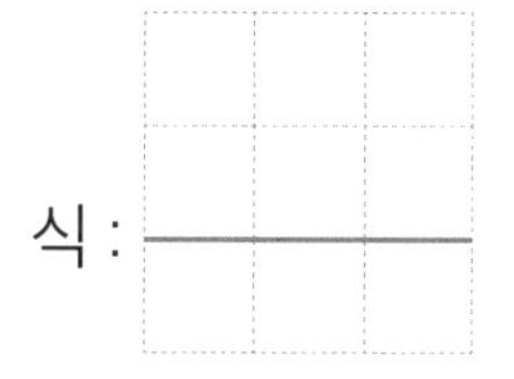 답 :

2일 몇 작은 수

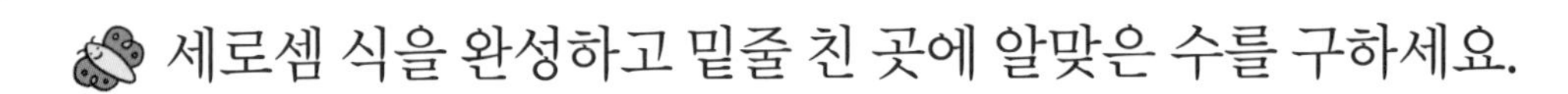

세로셈 식을 완성하고 밑줄 친 곳에 알맞은 수를 구하세요.

61 빼기 8은 ____53____ 입니다.

$$\begin{array}{r} \overset{5}{\cancel{6}}\ \overset{10}{1} \\ -\quad 8 \\ \hline 5\ 3 \end{array}$$

11-8=3

① 50 빼기 13은 ________ 입니다.

$$\begin{array}{r} 5\ 0 \\ -\ 1\ 3 \\ \hline \square\ \square \end{array}$$

② 62와 27의 차는 ________ 와 같습니다.

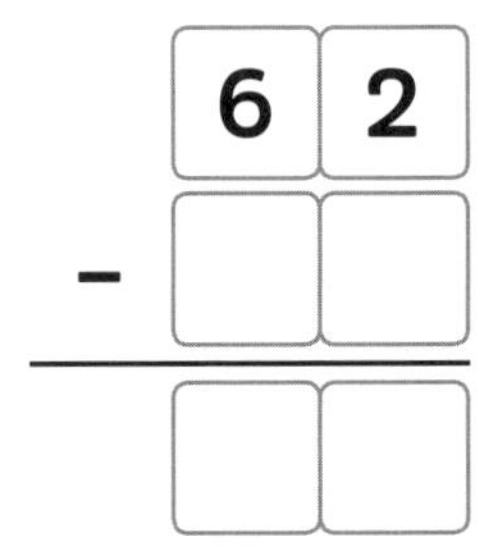

③ 45와 93의 차는 ________ 과 같습니다.

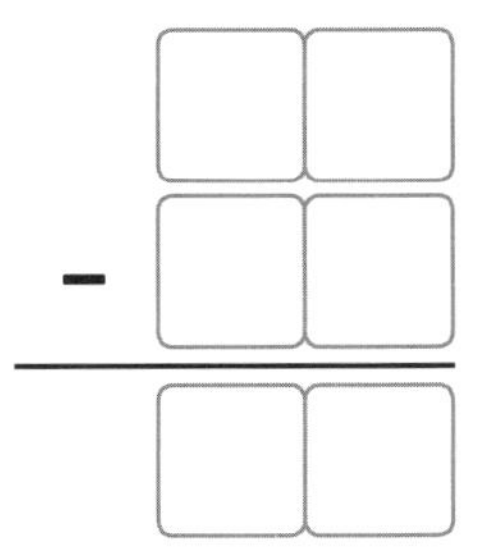

몇 작은 수를
구할 때는 뺄셈식을
사용해야 해.

알맞은 식을 쓰고 몇 작은 수를 구하세요.

66보다 17 작은 수는 얼마일까요?

식 :

	6	6
-	1	7
	4	9

답 : 49

① 40보다 6 작은 수는 얼마일까요?

식 : 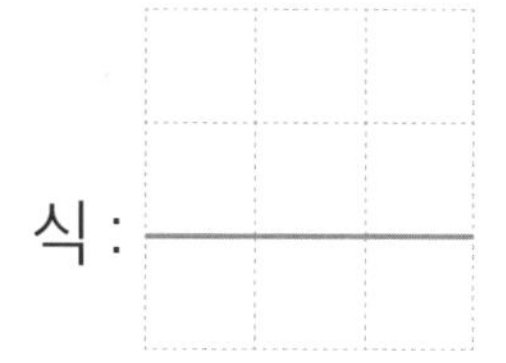 답 :

② 58보다 49 작은 수는 얼마일까요?

식 : 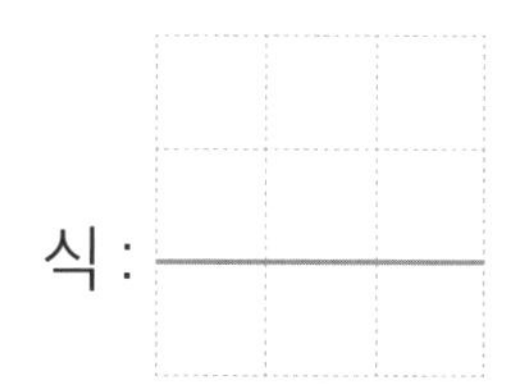 답 :

③ 80보다 55 작은 수는 얼마일까요?

식 : 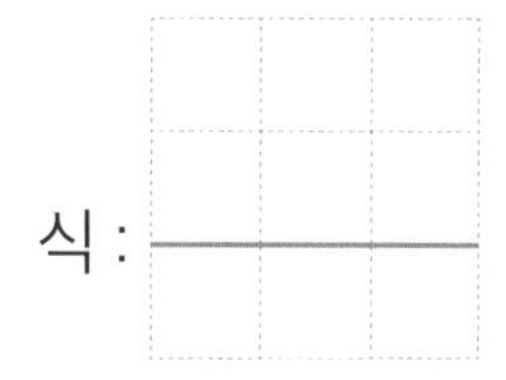 답 :

④ 94보다 47 작은 수는 얼마일까요?

식 : 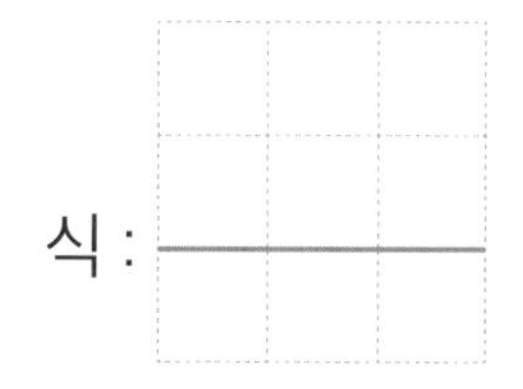 답 :

수 카드로 만든 두 자리 수보다 몇 큰 수를 구하세요.

수 카드 3장 중 2장을 골라 가장 큰 두 자리 수를 만들었습니다. 만든 수보다 8 큰 수를 구하세요.

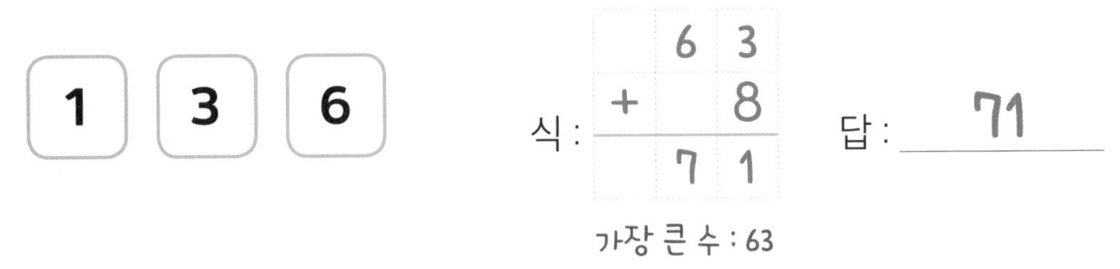

① 수 카드 3장 중 2장을 골라 가장 작은 두 자리 수를 만들었습니다. 만든 수보다 5 큰 수를 구하세요.

② 수 카드 3장 중 2장을 골라 가장 큰 두 자리 수를 만들었습니다. 만든 수보다 18 큰 수를 구하세요.

③ 수 카드 3장 중 2장을 골라 가장 작은 두 자리 수를 만들었습니다. 만든 수보다 58 큰 수를 구하세요.

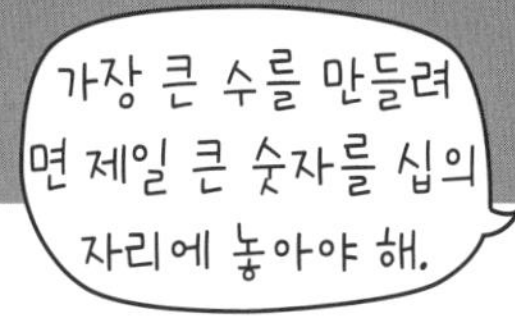

수 카드로 만든 두 자리 수보다 몇 큰 수를 구하세요.

수 카드 4장 중 2장을 골라 가장 작은 두 자리 수를 만들었습니다. 만든 수보다 60 큰 수를 구하세요.

가장 작은 수 : 50

① 수 카드 4장 중 2장을 골라 가장 큰 두 자리 수를 만들었습니다. 만든 수보다 51 큰 수를 구하세요.

   2

식 : 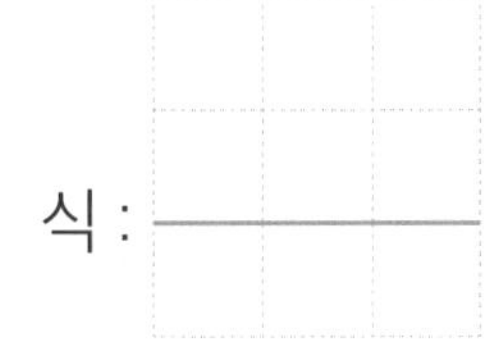

답 : ______

② 수 카드 4장 중 2장을 골라 둘째로 큰 두 자리 수를 만들었습니다. 만든 수보다 16 큰 수를 구하세요.

   7

식 : 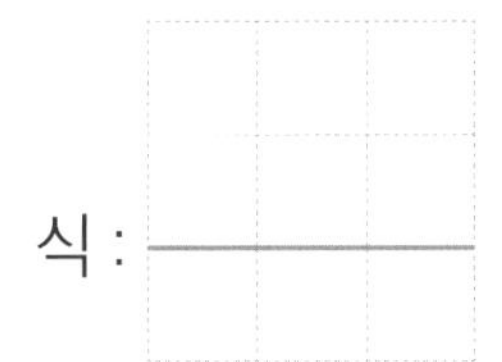

답 : ______

③ 수 카드 4장 중 2장을 골라 둘째로 작은 두 자리 수를 만들었습니다. 만든 수보다 89 큰 수를 구하세요.

   9

식 : 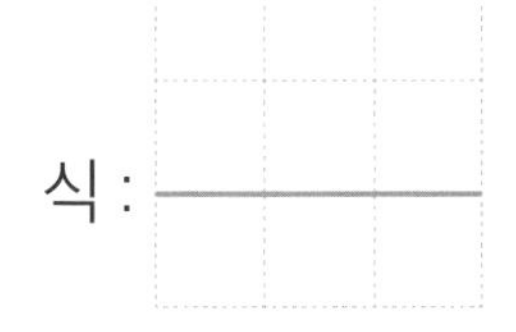

답 : ______

4일 만든 수보다 몇 작은 수

수 카드로 만든 두 자리 수보다 몇 작은 수를 구하세요.

수 카드 3장 중 2장을 골라 가장 작은 두 자리 수를 만들었습니다. 만든 수보다 7 작은 수를 구하세요.

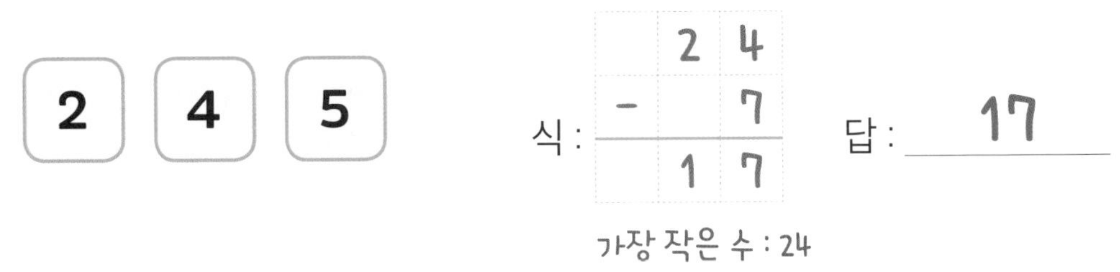

① 수 카드 3장 중 2장을 골라 가장 큰 두 자리 수를 만들었습니다. 만든 수보다 19 작은 수를 구하세요.

② 수 카드 3장 중 2장을 골라 가장 작은 두 자리 수를 만들었습니다. 만든 수보다 15 작은 수를 구하세요.

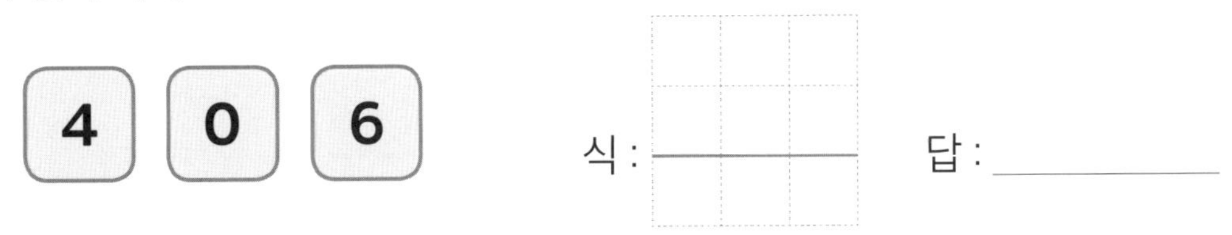

③ 수 카드 3장 중 2장을 골라 가장 큰 두 자리 수를 만들었습니다. 만든 수보다 67 작은 수를 구하세요.

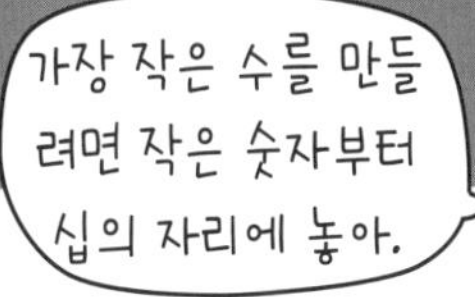

수 카드로 만든 두 자리 수보다 몇 작은 수를 구하세요.

수 카드 4장 중 2장을 골라 둘째로 큰 두 자리 수를 만들었습니다. 만든 수보다 34 작은 수를 구하세요.

 2 9 

1 2 9 4

식 : 92 − 34 = 58　　답 : 58

가장 큰 수 : 94, 둘째로 큰 수 : 92

① 수 카드 4장 중 2장을 골라 가장 작은 두 자리 수를 만들었습니다. 만든 수보다 16 작은 수를 구하세요.

2 3 0 8

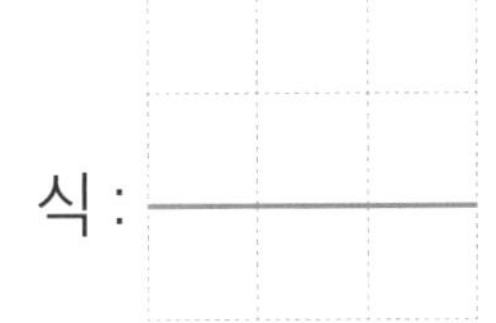

식 : 　　답 :

② 수 카드 4장 중 2장을 골라 둘째로 작은 두 자리 수를 만들었습니다. 만든 수보다 8 작은 수를 구하세요.

4 7 9 3

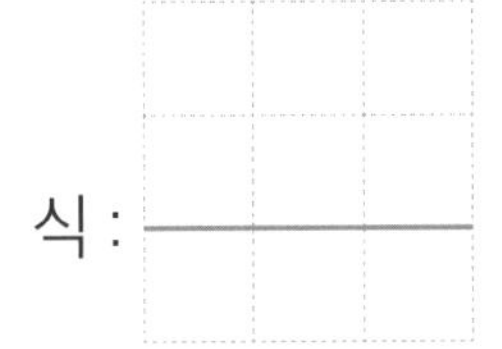

식 : 　　답 :

③ 수 카드 4장 중 2장을 골라 가장 큰 두 자리 수를 만들었습니다. 만든 수보다 26 작은 수를 구하세요.

6 3 1 2

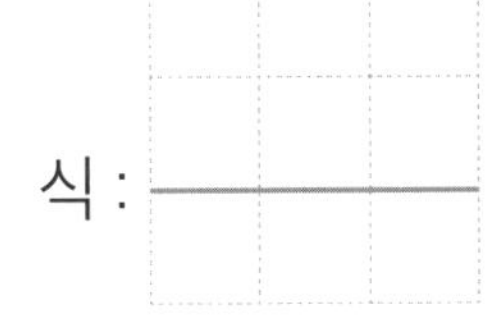

식 : 　　답 :

5일 만든 수의 합과 차

수 카드로 만든 두 자리 수의 합을 구하세요.

수 카드 3장 중 2장을 골라 두 자리 수를 만들었습니다. 가장 큰 수와 가장 작은 수의 합을 구하세요.

4 9 0

식 :

	9	4
+	4	0
1	3	4

답 : 134

가장 큰 수 : 94, 가장 작은 수 : 40

① 수 카드 4장 중 2장을 골라 두 자리 수를 만들었습니다. 가장 큰 수와 가장 작은 수의 합을 구하세요.

3 2 4 9

식 :

답 :

② 수 카드 3장 중 2장을 골라 두 자리 수를 만들었습니다. 가장 큰 수와 둘째로 큰 수의 합을 구하세요.

8 3 5

식 :

답 :

③ 수 카드 4장 중 2장을 골라 두 자리 수를 만들었습니다. 가장 큰 수와 둘째로 작은 수의 합을 구하세요.

2 6 1 7

식 :

답 :

차를 구할 때는
큰 수에서 작은 수를
빼야 해.

수 카드로 만든 두 자리 수의 차를 구하세요.

수 카드 3장 중 2장을 골라 두 자리 수를 만들었습니다. 가장 큰 수와 둘째로 작은 수의 차를 구하세요.

7 

3

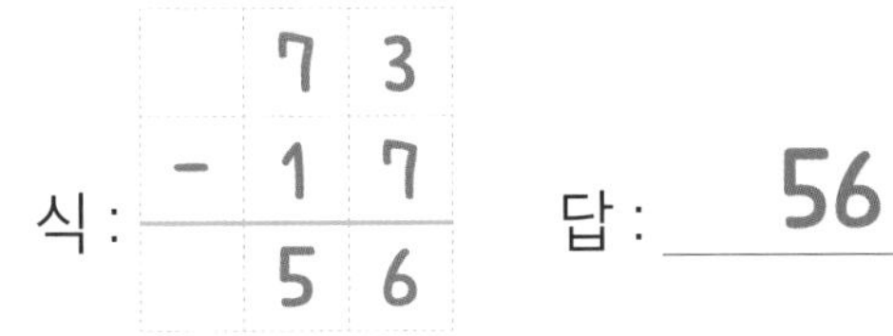

가장 큰 수 : 73, 둘째로 작은 수 : 17

① 수 카드 3장 중 2장을 골라 두 자리 수를 만들었습니다. 둘째로 작은 수와 둘째로 큰 수의 차를 구하세요.

2 

8

식 : 

답 : ______

② 수 카드 4장 중 2장을 골라 두 자리 수를 만들었습니다. 가장 큰 수와 가장 작은 수의 차를 구하세요.

6 

3 

식 : 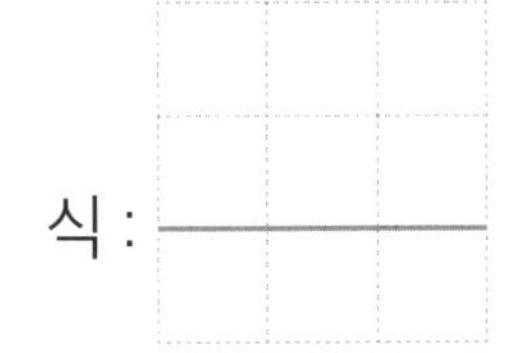

답 : ______

③ 수 카드 4장 중 2장을 골라 두 자리 수를 만들었습니다. 가장 작은 수와 둘째로 큰 수의 차를 구하세요.

9 

7 

식 : 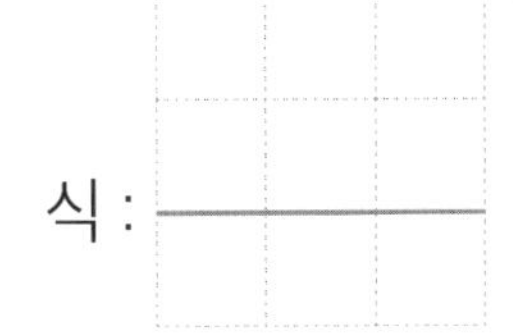

답 : ______

확인학습

알맞은 식을 쓰고 몇 크거나 작은 수를 구하세요.

① 27보다 18 큰 수는 얼마일까요?

식 : 답 :

② 73보다 29 작은 수는 얼마일까요?

식 : 답 :

③ 97보다 7 큰 수는 얼마일까요?

식 : 답 :

④ 90보다 4 작은 수는 얼마일까요?

식 : 답 :

⑤ 46보다 85 큰 수는 얼마일까요?

식 : 답 :

수 카드로 만든 두 자리 수보다 몇 크거나 작은 수를 구하세요.

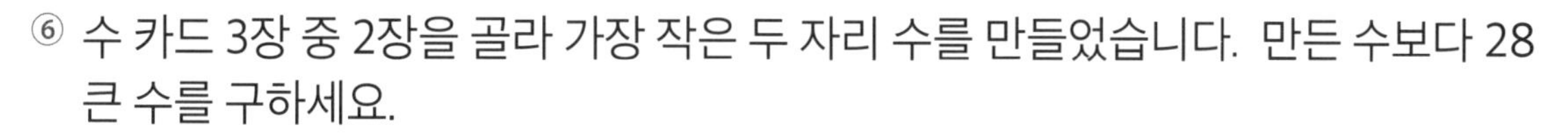

⑥ 수 카드 3장 중 2장을 골라 가장 작은 두 자리 수를 만들었습니다. 만든 수보다 28 큰 수를 구하세요.

식 : ______ 답 : ______

⑦ 수 카드 4장 중 2장을 골라 둘째로 큰 두 자리 수를 만들었습니다. 만든 수보다 37 큰 수를 구하세요.

식 : ______ 답 : ______

⑧ 수 카드 3장 중 2장을 골라 가장 작은 두 자리 수를 만들었습니다. 만든 수보다 15 작은 수를 구하세요.

식 : ______ 답 : ______

⑨ 수 카드 4장 중 2장을 골라 둘째로 큰 두 자리 수를 만들었습니다. 만든 수보다 29 작은 수를 구하세요.

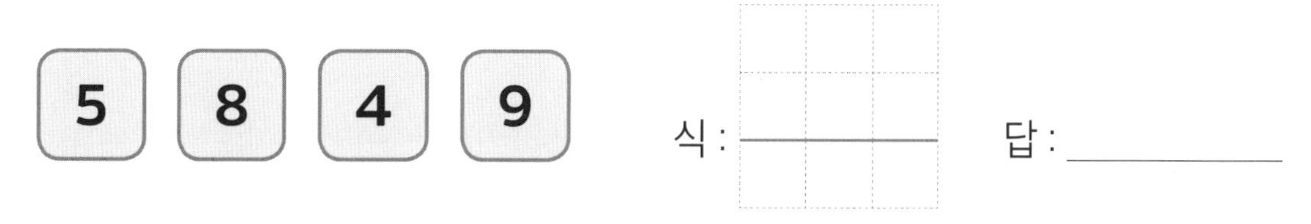

식 : ______ 답 : ______

확인학습

수 카드로 만든 두 자리 수의 합 또는 차를 구하세요.

⑩ 수 카드 3장 중 2장을 골라 두 자리 수를 만들었습니다. 가장 큰 수와 가장 작은 수의 합을 구하세요.

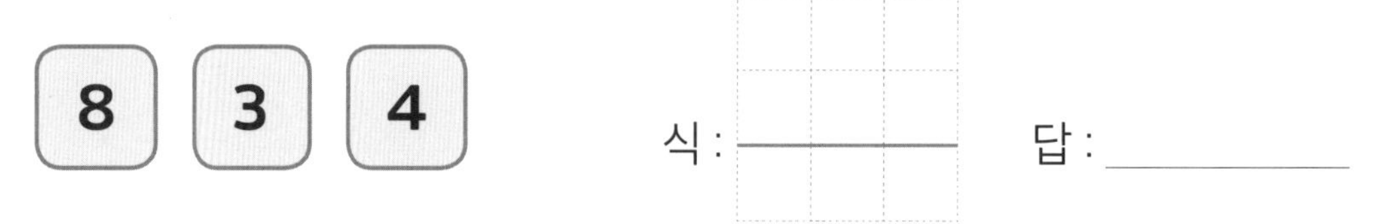

⑪ 수 카드 4장 중 2장을 골라 두 자리 수를 만들었습니다. 가장 큰 수와 가장 작은 수의 차를 구하세요.

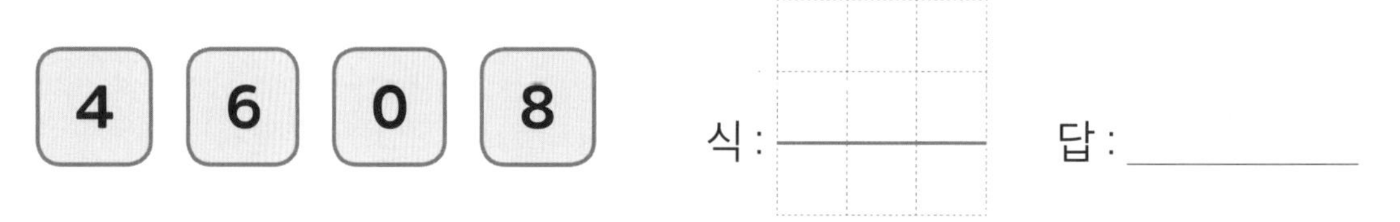

⑫ 수 카드 3장 중 2장을 골라 두 자리 수를 만들었습니다. 가장 큰 수와 둘째로 큰 수의 차를 구하세요.

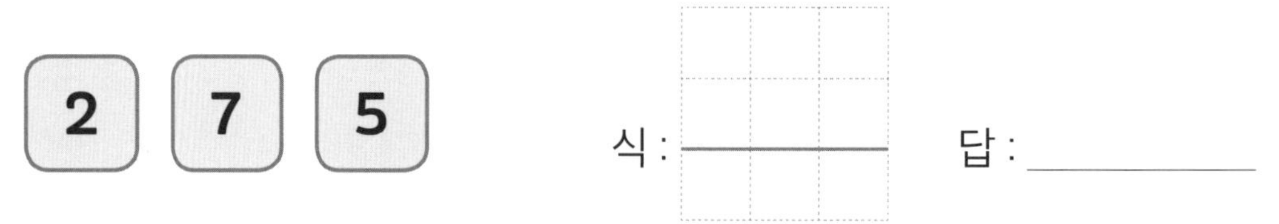

⑬ 수 카드 4장 중 2장을 골라 두 자리 수를 만들었습니다. 가장 작은 수와 둘째로 큰 수의 합을 구하세요.

2주차

덧셈과 뺄셈

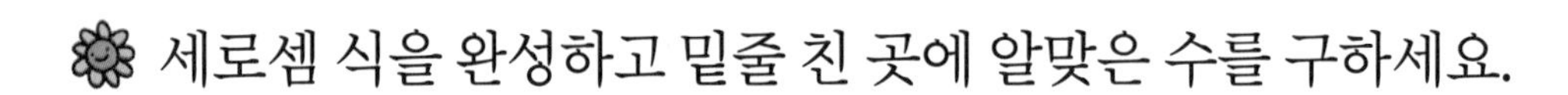

1일 더하기와 빼기

❀ 세로셈 식을 완성하고 밑줄 친 곳에 알맞은 수를 구하세요.

58 더하기 7은 ___65___ 입니다.

$$\begin{array}{r} {}^{1}\;\;\; \\ 5\;8 \\ +\;\;\;7 \\ \hline 6\;5 \end{array}$$

1+5=6 8+7=15

① 34 빼기 15는 __________ 입니다.

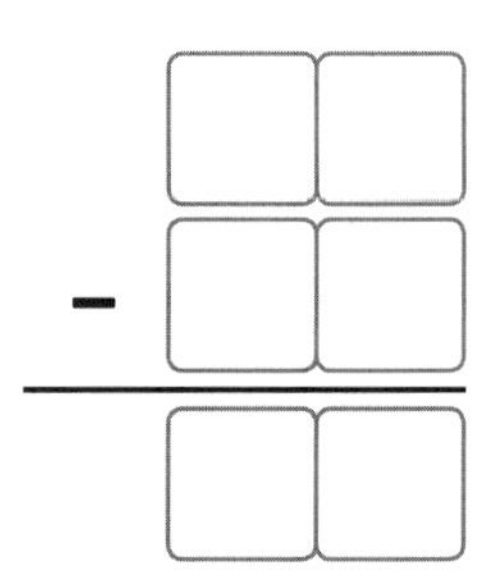

② 75와 33의 합은 __________ 과 같습니다.

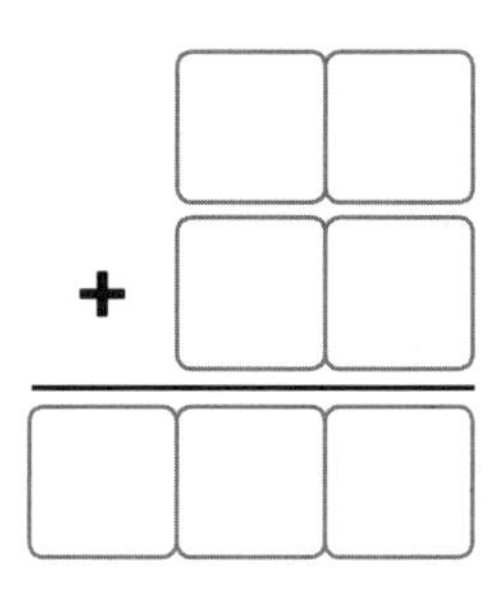

③ 60과 39의 차는 __________ 과 같습니다.

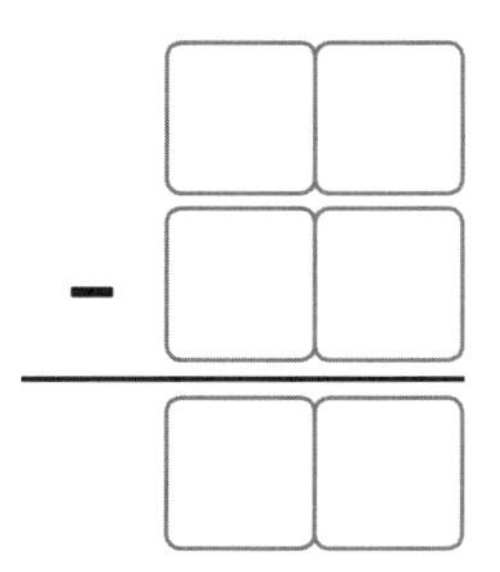

더하기 식과 빼기 식
중 어느 것을 만들어야
할지 결정해야 해.

알맞은 식을 쓰고 답을 구하세요.

44와 17의 차는 얼마일까요?

식 :

	4	4
-	1	7
	2	7

답 : 27

① 63 더하기 68은 얼마일까요?

식 :

답 :

② 91보다 35 작은 수는 얼마일까요?

식 : 

답 :

③ 62 빼기 18은 얼마일까요?

식 : 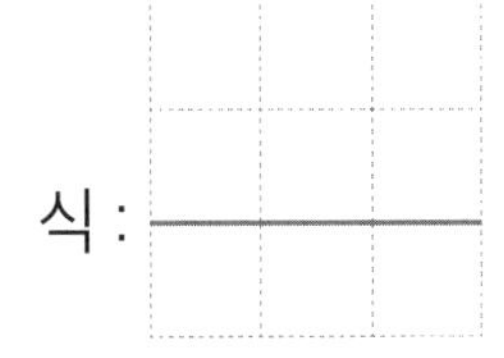

답 :

④ 73보다 84 큰 수는 얼마일까요?

식 : 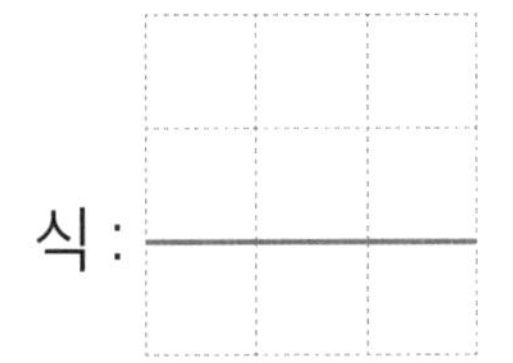

답 :

2일 늘어나고 줄어드는

빈칸에 알맞은 수를 써넣고 답을 구하세요.

정우는 사탕을 27개 가지고 있었는데 15개를 더 샀습니다. 정우가 가진 사탕은 모두 몇 개일까요?

27 + 15 = 42　　답 : 42개

① 냉장고에 딸기가 36개 있었는데 8개를 먹었습니다. 냉장고에 남은 딸기는 모두 몇 개일까요?

☐ - ☐ = ☐　　답 : ______

② 주차장에 자동차가 44대 주차되어 있었는데 49대가 더 왔습니다. 주차장에 있는 자동차는 모두 몇 대일까요?

☐ + ☐ = ☐　　답 : ______

③ 운동장에 학생 50명이 있었는데 17명이 집으로 돌아갔습니다. 운동장에 남은 학생은 몇 명일까요?

☐ - ☐ = ☐　　답 : ______

 알맞은 식을 쓰고 답을 구하세요.

마당에 참새 61마리가 있었는데 57마리가 날아갔습니다. 마당에 남은 참새는 몇 마리일까요?

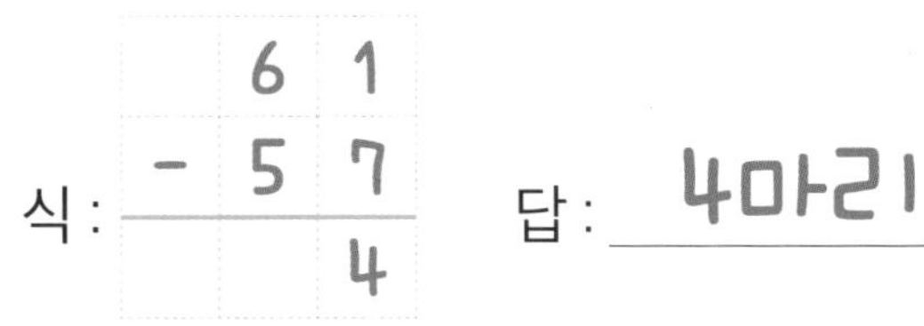

식 : 답 : 4마리

① 경주는 우표 19장을 가지고 있었는데 4장을 더 모았습니다. 경주가 모은 우표는 모두 몇 장일까요?

식 : 답 :

② 단풍나무의 키가 75 cm였는데 65 cm 더 자랐습니다. 단풍나무의 키는 몇 cm일까요?

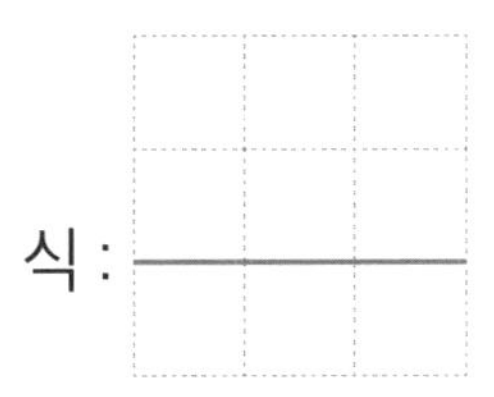

식 : 답 :

③ 불이 켜진 양초 82개가 있었는데 18개의 불이 꺼졌습니다. 불이 켜진 양초는 몇 개 남았을까요?

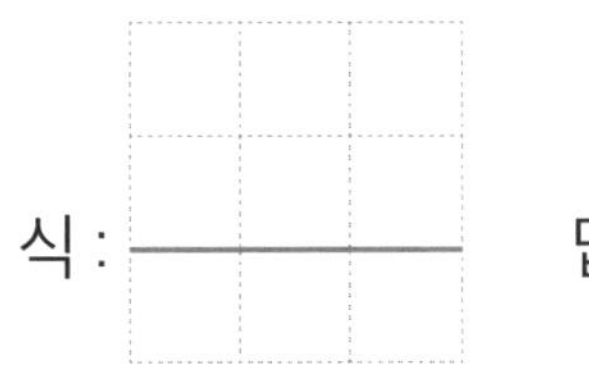

식 : 답 :

3일 몇 크고 몇 작은

빈칸에 알맞은 수를 써넣고 답을 구하세요.

빨강 색종이가 52장 있고, 노랑 색종이는 빨강 색종이보다 29장 더 적습니다. 노랑 색종이는 몇 장일까요?

52 - 29 = 23 답 : 23장

① 냉장고에 오리알이 75개 있고, 달걀은 오리알보다 18개 더 많습니다. 냉장고에 있는 달걀은 몇 개일까요?

□ + □ = □ 답 : ________

② 동주가 모은 배지는 24개이고, 소희는 동주보다 48개 더 모았습니다. 소희가 모은 배지는 몇 개일까요?

□ + □ = □ 답 : ________

③ 농장에 돼지가 83마리 있고, 소는 돼지보다 69마리 더 적습니다. 농장에 있는 소는 몇 마리일까요?

□ - □ = □ 답 : ________

알맞은 식을 쓰고 답을 구하세요.

식당에 우유가 46병 있고, 주스는 우유보다 74병 더 많습니다. 식당에 있는 주스는 몇 병일까요?

식 :

	4	6
+	7	4
1	2	0

답 : 120병

① 밤하늘에 2등성이 45개 있고, 1등성은 2등성보다 19개 더 적습니다. 밤하늘에 있는 1등성은 몇 개일까요?

식 : 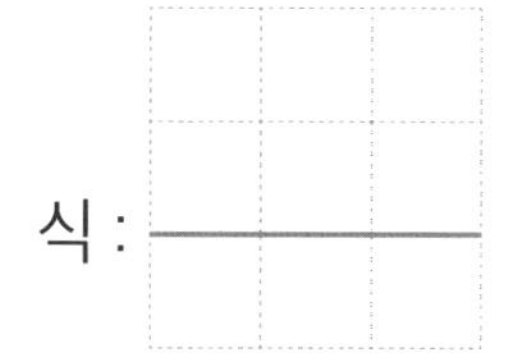　답 : ____________

② 아빠의 몸무게는 89 kg이고, 삼촌은 아빠보다 5 kg 더 무겁습니다. 삼촌의 몸무게는 몇 kg일까요?

식 : 　답 : ____________

③ 지은이가 다크 초콜릿 61개를 만들고, 화이트 초콜릿은 다크 초콜릿보다 28개 더 적게 만들었습니다. 지은이가 만든 화이트 초콜릿은 몇 개일까요?

식 : 　답 : ____________

4일 모으기와 비교하기

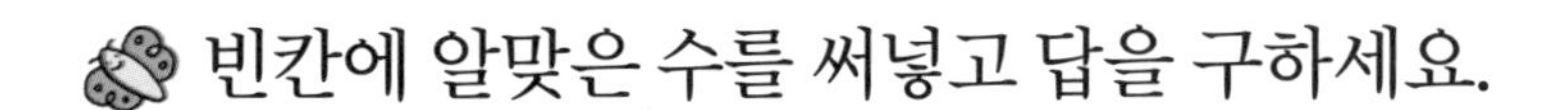
빈칸에 알맞은 수를 써넣고 답을 구하세요.

테이네 반 남학생은 15명이고, 여학생은 25명입니다. 테이네 반 학생은 모두 몇 명일까요?

15 + 25 = 40　　답 : 40명

① 할아버지는 70살이고, 할머니는 67살입니다. 할아버지는 할머니보다 몇 살 더 많을까요?

□ - □ = □　　답 : ______

② 공원 주차장에 자전거가 52대, 자동차가 28대 있습니다. 자전거는 자동차보다 몇 대 더 많을까요?

□ - □ = □　　답 : ______

③ 방학 동안 수하가 받은 칭찬 스티커는 42장, 고운이가 받은 칭찬 스티커는 29장입니다. 두 사람이 받은 칭찬 스티커는 모두 몇 장일까요?

□ + □ = □　　답 : ______

알맞은 식을 쓰고 답을 구하세요.

동물원에 펭귄이 95마리, 물개가 76마리 있습니다. 펭귄은 물개보다 몇 마리 더 많을까요?

식 :

	9	5
-	7	6
	1	9

답 : 19마리

① 형이 수확한 쌀은 55가마니, 동생이 수확한 쌀은 57가마니입니다. 두 사람이 수확한 쌀은 모두 몇 가마니일까요?

식 : 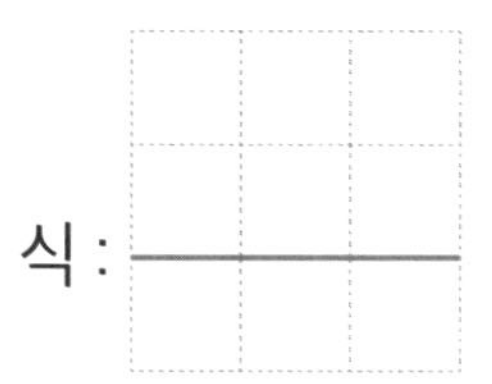

답 :

② 공원에 참나무가 61그루, 밤나무가 25그루 있습니다. 참나무는 밤나무보다 몇 그루 더 많을까요?

식 : 

답 :

③ 우영이의 몸무게는 29 kg, 아빠의 몸무게는 61 kg입니다. 저울에 우영이와 아빠가 함께 올라가면 몇 kg이 나올까요?

식 : 

답 :

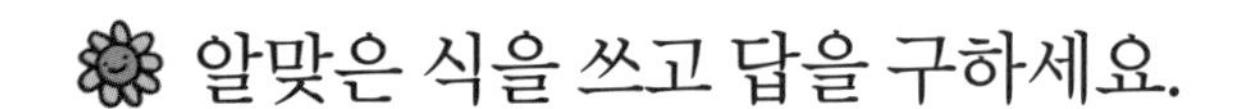

5일 덧셈과 뺄셈 종합

알맞은 식을 쓰고 답을 구하세요.

송이 마을에 23명이 살고 있었는데 79명이 더 이사왔습니다. 송이 마을에 살고 있는 사람들은 몇 명이 되었을까요?

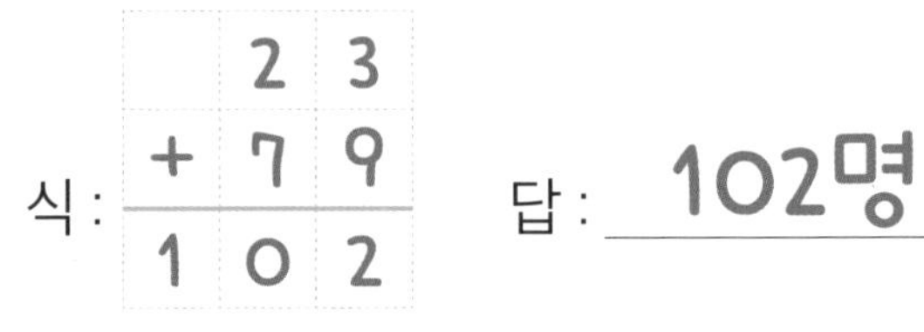

① 수지빌딩은 36층이고, 기원빌딩은 수지빌딩보다 44층 더 높습니다. 기원빌딩은 몇 층일까요?

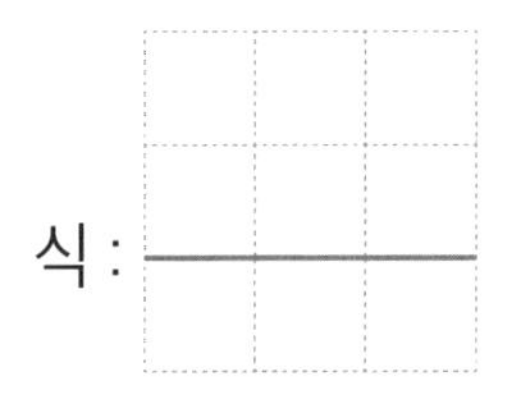

식 : 답 :

② 냉장고에 갈색 달걀이 92개, 흰색 달걀이 46개 있습니다. 갈색 달걀은 흰색 달걀보다 몇 개 더 많을까요?

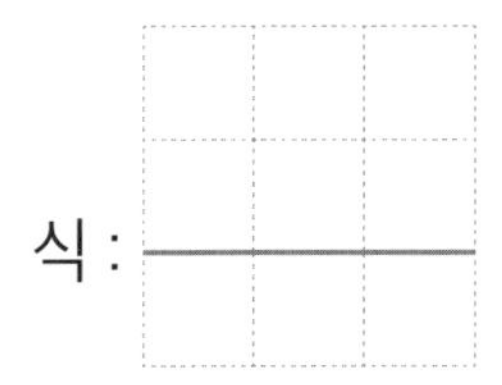

식 : 답 :

③ 올해 할아버지의 연세는 72살입니다. 5년 전에 할아버지의 연세는 몇 살이었을까요?

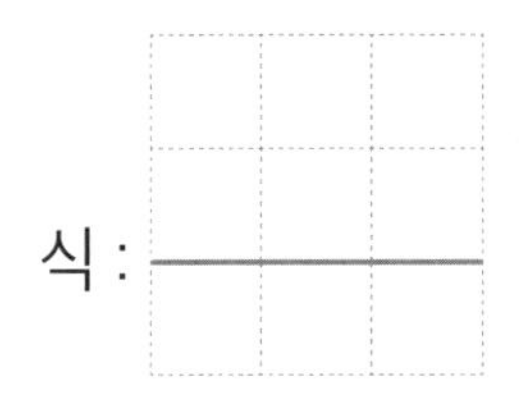

식 : 답 :

덧셈과 뺄셈 중 어느 것을 써야 할지 먼저 결정해야 해.

④ 연못에 오리가 68마리, 두루미가 8마리 있습니다. 연못에 있는 오리와 두루미는 모두 몇 마리일까요?

식 : 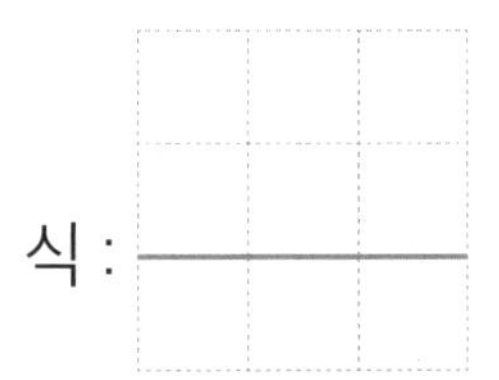　　답 : ____________

⑤ 8월은 31일까지 있습니다. 8월 중 19일은 학원에 갔다면 학원에 가지 않은 날은 며칠일까요?

식 : 　　답 : ____________

⑥ 체육 창고에 야구공이 73개, 배구공이 34개 있습니다. 야구공은 배구공보다 몇 개 더 많을까요?

식 : 　　답 : ____________

⑦ 과일 가게에 망고가 88개 있었는데 70개를 더 가져왔습니다. 과일 가게에 있는 망고는 모두 몇 개일까요?

식 : 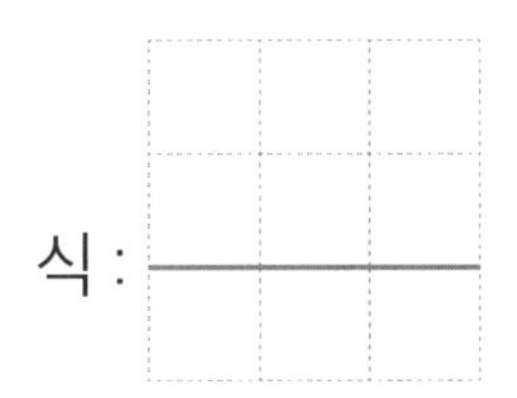　　답 : ____________

확인학습

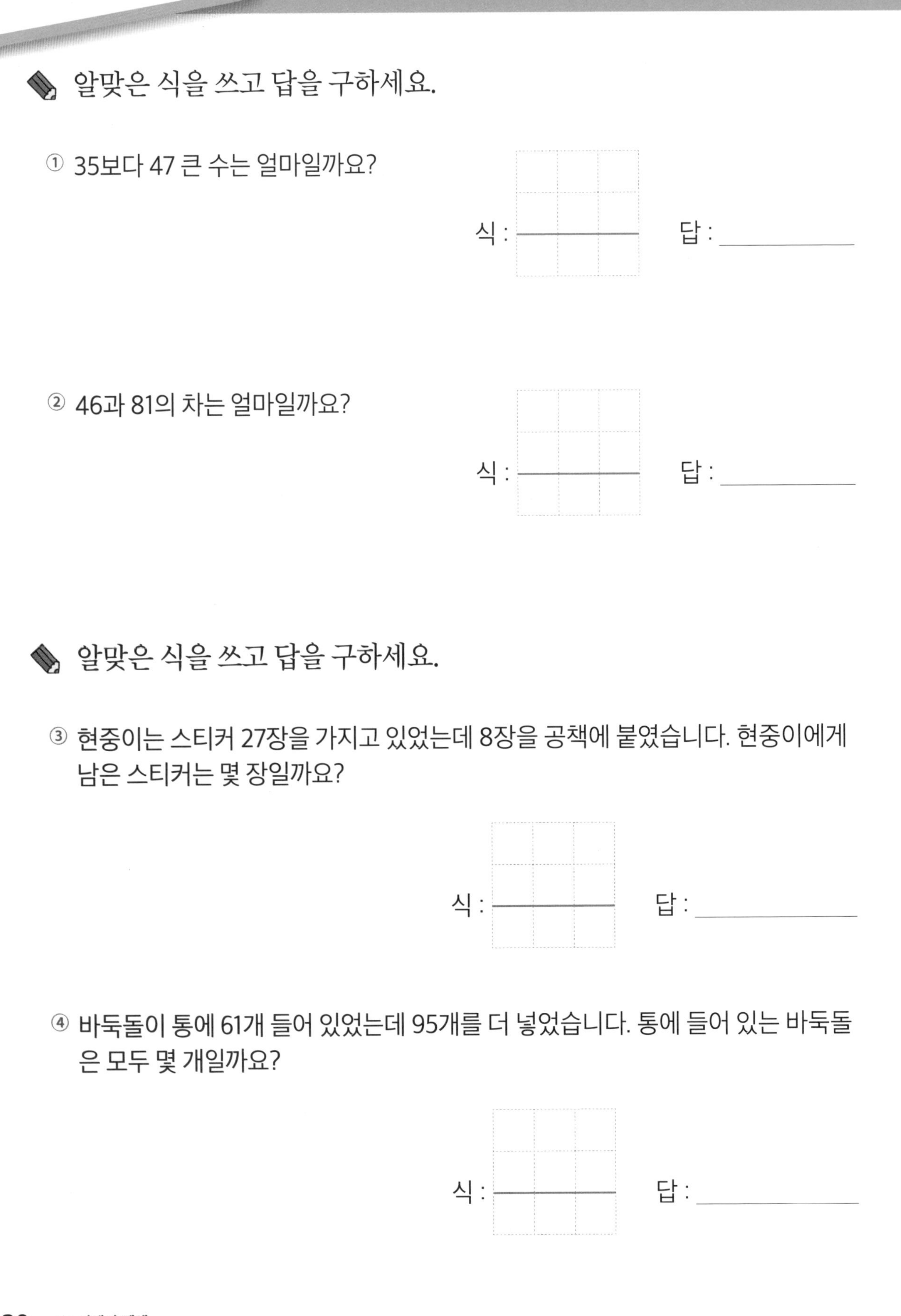

알맞은 식을 쓰고 답을 구하세요.

① 35보다 47 큰 수는 얼마일까요?

식 : 답 :

② 46과 81의 차는 얼마일까요?

식 : 답 :

알맞은 식을 쓰고 답을 구하세요.

③ 현중이는 스티커 27장을 가지고 있었는데 8장을 공책에 붙였습니다. 현중이에게 남은 스티커는 몇 장일까요?

식 : 답 :

④ 바둑돌이 통에 61개 들어 있었는데 95개를 더 넣었습니다. 통에 들어 있는 바둑돌은 모두 몇 개일까요?

식 : 답 :

알맞은 식을 쓰고 답을 구하세요.

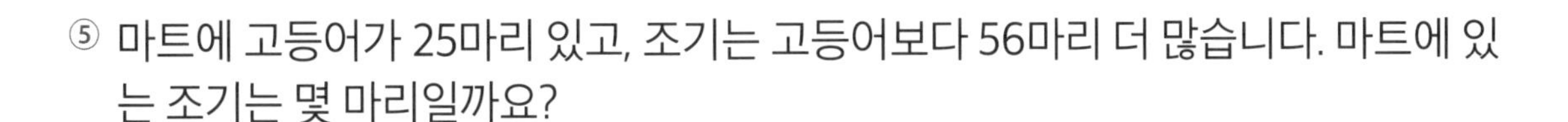

⑤ 마트에 고등어가 25마리 있고, 조기는 고등어보다 56마리 더 많습니다. 마트에 있는 조기는 몇 마리일까요?

식 : ______ 답 : ______

⑥ 연아가 가진 연필은 44자루이고, 기현이는 연아보다 38자루 더 적게 가지고 있습니다. 기현이가 가지고 있는 연필은 몇 자루일까요?

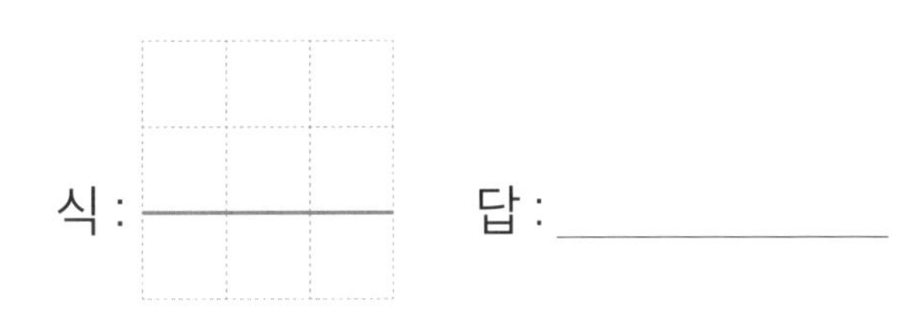

식 : ______ 답 : ______

⑦ 검은 바둑돌은 77개, 흰 바둑돌은 59개 있습니다. 검은 바둑돌은 흰 바둑돌보다 몇 개 더 많을까요?

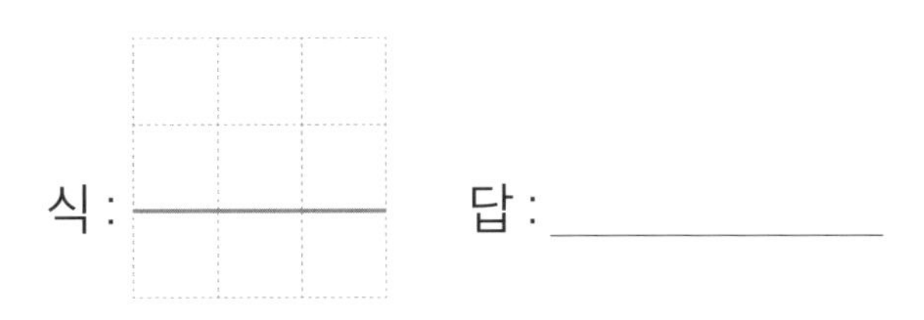

식 : ______ 답 : ______

⑧ 꽃집에 국화가 19송이, 카네이션이 43송이 있습니다. 꽃집에 있는 국화와 카네이션은 모두 몇 송이일까요?

식 : ______ 답 : ______

확인학습

✎ 알맞은 식을 쓰고 답을 구하세요.

⑨ 목욕탕에 칫솔이 70개 있고, 치약은 칫솔보다 53개 더 적습니다. 목욕탕에 있는 치약은 몇 개일까요?

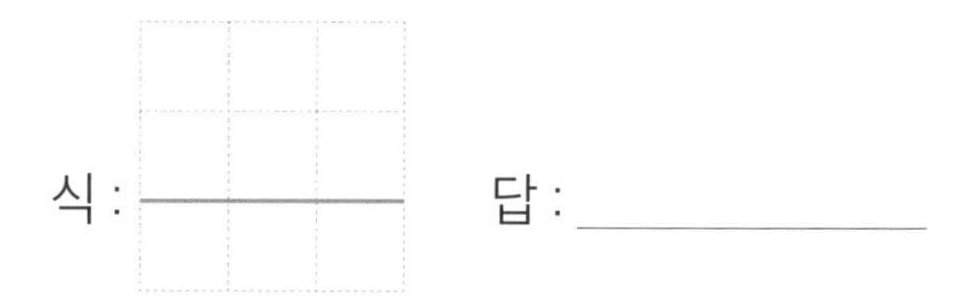

식 : 답 :

⑩ 하은이의 강아지는 태어날 때 키가 16 cm였는데 석 달 동안 59 cm 더 자랐습니다. 강아지의 키는 몇 cm일까요?

식 : 답 :

⑪ 수족관에 물고기 45마리가 있었는데 17마리를 작은 어항으로 옮겼습니다. 수족관에 남은 물고기는 몇 마리일까요?

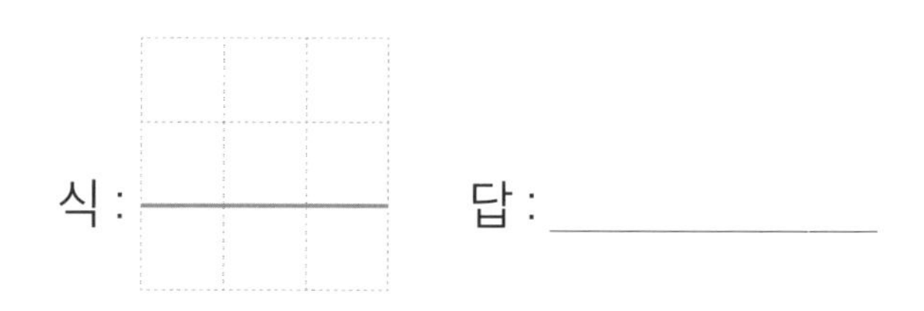

식 : 답 :

⑫ 식목일에 1반 학생들은 나무 79그루를 심었고, 2반 학생들은 59그루를 심었습니다. 두 반 학생들이 심은 나무는 모두 몇 그루일까요?

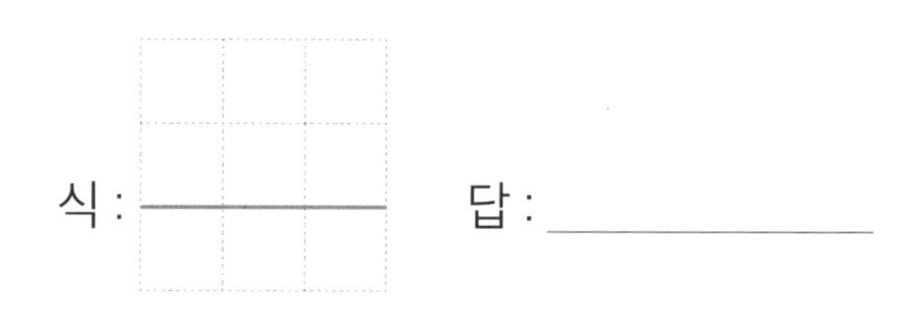

식 : 답 :

3주차

어떤 수 구하기

1일 덧셈식과 뺄셈식

덧셈식은 뺄셈식으로, 뺄셈식은 덧셈식으로 나타내어 보세요.

$18 + 8 = 26$ (①, ②, ③) → $26 - 18 = 8$ (③, ①, ②), $26 - 8 = 18$ (③, ②, ①)

①

$27 + 14 = 41$ → $\square - \square = \square$, $\square - \square = \square$

②

$35 - 9 = 26$ → $\square + \square = \square$, $\square + \square = \square$

③

$44 - 35 = 9$ → $\square + \square = \square$, $\square + \square = \square$

수가 같은 덧셈식
2개와 뺄셈식 2개를
만들 수 있어.

덧셈식과 뺄셈식을 보고 빈칸에 알맞은 수를 써넣으세요.

	2	4
+	2	6
	5	0

□ + 26 = 50

➡

	5	0
−	2	6
	2	4

□ = 50 −26 = 24

①

	4	5
+		
	6	3

➡

	6	3
−	4	5

②

−	1	5
	5	5

➡

	1	5
+	5	5

③

	4	8
−		
	2	9

➡

	4	8
−	2	9

2일 어떤 수 구하기

어떤 수를 □로 하여 덧셈식을 만들고 어떤 수를 구해 보세요.

어떤 수에 15를 더했더니 32가 되었습니다. 어떤 수는 얼마일까요?

식 : □+15=32　　답 : 17

32 − 15 = □

① 어떤 수와 9의 합은 24입니다. 어떤 수는 얼마일까요?

식 : ______　　답 : ______

② 25에 어떤 수를 더했더니 50이 되었습니다. 어떤 수는 얼마일까요?

식 : ______　　답 : ______

③ 어떤 수보다 27 큰 수는 33입니다. 어떤 수는 얼마일까요?

식 : ______　　답 : ______

④ 36과 어떤 수의 합은 84입니다. 어떤 수는 얼마일까요?

식 : ______　　답 : ______

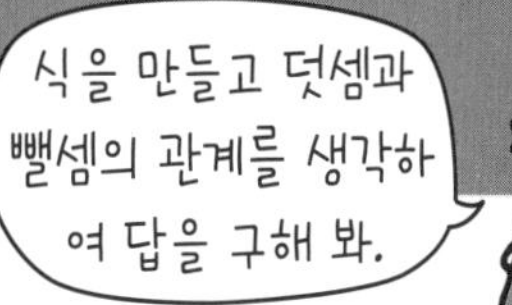

식을 만들고 덧셈과
뺄셈의 관계를 생각하
여 답을 구해 봐.

어떤 수를 □로 하여 뺄셈식을 만들고 어떤 수를 구해 보세요.

어떤 수에서 8을 뺐더니 27이 되었습니다. 어떤 수는 얼마일까요?

식 : $\square - 8 = 27$ 답 : 35

$27 + 8 = \square$

① 어떤 수보다 18 작은 수는 62입니다. 어떤 수는 얼마일까요?

식 : ______ 답 : ______

② 45에서 어떤 수를 뺐더니 18이 되었습니다. 어떤 수는 얼마일까요?

식 : ______ 답 : ______

③ 83보다 어떤 수만큼 작은 수는 44입니다. 어떤 수는 얼마일까요?

식 : ______ 답 : ______

④ 어떤 수에서 28을 뺐더니 63이 되었습니다. 어떤 수는 얼마일까요?

식 : ______ 답 : ______

3일 어떤 수 덧셈

□가 있는 식을 쓰고 답을 구하세요.

농장에 소 몇 마리와 돼지 47마리가 있습니다. 소와 돼지는 모두 55마리일 때, 소는 몇 마리일까요?

식 : □+47=55　　답 : 8마리

55 - 47 = □

① 호진이가 우표 33장을 더 모았더니 모두 70장이 되었습니다. 호진이가 원래 가지고 있던 우표는 몇 장이었을까요?

식 : ______　　답 : ______

② 공원에 은행나무 17그루를 더 심었더니 모두 25그루가 되었습니다. 공원에 원래 있던 은행나무는 몇 그루였을까요?

식 : ______　　답 : ______

③ 흰 바둑돌은 검은 바둑돌보다 58개 더 많은 97개입니다. 검은 바둑돌은 몇 개일까요?

식 : ______　　답 : ______

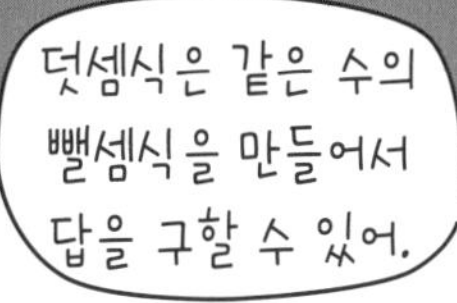

덧셈식은 같은 수의
뺄셈식을 만들어서
답을 구할 수 있어.

□가 있는 식을 쓰고 답을 구하세요.

교실에 6명이 있었는데 몇 명이 더 와서 42명이 되었습니다. 교실에 더 온 사람은 몇 명일까요?

식 : 6+□=42　　　답 : 36명

42 − 6 = □

① 튤립 18송이와 장미 몇 송이를 모두 모았더니 66송이가 되었습니다. 장미는 몇 송이일까요?

식 : ______________　　　답 : __________

② 책장에 책 63권이 꽂혀 있었는데 몇 권을 더 꽂았더니 71권이 되었습니다. 더 꽂은 책은 몇 권일까요?

식 : ______________　　　답 : __________

③ 올해 우리 반 선생님은 49살입니다. 선생님이 82살이 되는 것은 몇 년 후일까요?

식 : ______________　　　답 : __________

4일 어떤 수 빨셈

□가 있는 식을 쓰고 답을 구하세요.

나무 위에 참새가 몇 마리 있었는데 13마리가 날아가고 17마리가 남았습니다. 나무 위에 원래 있던 참새는 몇 마리였을까요?

식 : □−13=17　　답 : 30마리

17 + 13 = □

① 과일 가게에 있는 참외는 사과보다 35개 더 적은 46개입니다. 과일 가게에 있는 사과는 몇 개일까요?

식 : ______　　답 : ______

② 현태는 과자 몇 개를 가지고 있었는데 9개를 먹고 29개가 남았습니다. 현태가 원래 가지고 있던 과자는 몇 개였을까요?

식 : ______　　답 : ______

③ 빨강 색종이는 파랑 색종이보다 44장 더 적은 17장입니다. 파랑 색종이는 몇 장일까요?

식 : ______　　답 : ______

어떤 수를 빼는 식은
뺄셈식으로 바꾸어서
해결해야 해.

 □가 있는 식을 쓰고 답을 구하세요.

올해 할머니는 60살입니다. 할머니가 55살이었을 때는 몇 년 전일까요?

식 : 60-□=55　　　답 : 5년

60-55=□

① 냉장고에 달걀이 37개 있었는데 몇 개를 먹었더니 18개가 남았습니다. 먹은 달걀은 몇 개일까요?

식 : ____________　　　답 : ________

② 진우가 42권이 완결인 만화책을 몇 권 읽고 7권 남았습니다. 진우가 읽은 만화책은 몇 권일까요?

식 : ____________　　　답 : ________

③ 연못에 올챙이가 85마리 있었는데 몇 마리가 개구리로 변하고 58마리가 남았습니다. 개구리로 변한 올챙이는 몇 마리일까요?

식 : ____________　　　답 : ________

5일 잘못된 계산

잘못된 계산을 보고 올바르게 계산한 값을 구하세요.

어떤 수에 17을 더해야 할 것을 잘못하여 뺐더니 36이 되었습니다. 올바르게 계산한 값은 얼마일까요?

식 ① : $\square - 17 = 36$ 어떤 수 : 53

$36 + 17 = \square$

식 ② : $53 + 17 = 70$ 답 : 70

① 어떤 수에 25를 더해야 할 것을 잘못하여 뺐더니 35가 되었습니다. 올바르게 계산한 값은 얼마일까요?

식 ① : ______ 어떤 수 : ______

식 ② : ______ 답 : ______

② 어떤 수에서 23을 빼야 할 것을 잘못하여 더했더니 52가 되었습니다. 올바르게 계산한 값은 얼마일까요?

식 ① : ______ 어떤 수 : ______

식 ② : ______ 답 : ______

먼저 네모가 있는
식을 세워서 어떤
수를 구해 봐.

③ 어떤 수에서 38을 빼야 할 것을 잘못하여 더했더니 93이 되었습니다. 올바르게 계산한 값은 얼마일까요?

식 ① : ______________ 어떤 수 : __________

식 ② : ______________ 답 : __________

④ 어떤 수에 36을 더해야 할 것을 잘못하여 뺐더니 8이 되었습니다. 올바르게 계산한 값은 얼마일까요?

식 ① : ______________ 어떤 수 : __________

식 ② : ______________ 답 : __________

⑤ 어떤 수에서 27을 빼야 할 것을 잘못하여 더했더니 69가 되었습니다. 올바르게 계산한 값은 얼마일까요?

식 ① : ______________ 어떤 수 : __________

식 ② : ______________ 답 : __________

확인학습

어떤 수를 □로 하여 식을 만들고 어떤 수를 구해 보세요.

① 어떤 수보다 38 큰 수는 50입니다. 어떤 수는 얼마일까요?

식 : ____________________ 답 : ________

② 74에서 어떤 수를 뺐더니 65가 되었습니다. 어떤 수는 얼마일까요?

식 : ____________________ 답 : ________

③ 26과 어떤 수의 합은 63입니다. 어떤 수는 얼마일까요?

식 : ____________________ 답 : ________

④ 어떤 수보다 14 작은 수는 38입니다. 어떤 수는 얼마일까요?

식 : ____________________ 답 : ________

⑤ 17에 어떤 수를 더했더니 41이 되었습니다. 어떤 수는 얼마일까요?

식 : ____________________ 답 : ________

✎ □가 있는 식을 쓰고 답을 구하세요.

⑥ 햄버거 가게에서 햄버거 16개를 더 만들었더니 햄버거가 모두 43개가 되었습니다. 원래 있던 햄버거는 몇 개였을까요?

식 : ____________ 답 : ____________

⑦ 이층 버스에 54명이 타고 있었는데 몇 명이 내렸더니 19명이 남았습니다. 내린 사람은 몇 명일까요?

식 : ____________ 답 : ____________

⑧ 초이는 동화책을 36쪽까지 읽었습니다. 동화책이 84쪽까지 있을 때, 초이가 더 읽어야 하는 동화책은 몇 쪽일까요?

식 : ____________ 답 : ____________

⑨ 수아가 눈덩이를 만들어서 38개는 던지고 18개 남았습니다. 수아가 만든 눈덩이는 몇 개였을까요?

식 : ____________ 답 : ____________

확인학습

잘못된 계산을 보고 올바르게 계산한 값을 구하세요.

⑩ 어떤 수에 23을 더해야 할 것을 잘못하여 뺐더니 29가 되었습니다. 올바르게 계산한 값은 얼마일까요?

식 ① : ____________ 어떤 수 : ________

식 ② : ____________ 답 : ________

⑪ 어떤 수에서 9를 빼야 할 것을 잘못하여 더했더니 74가 되었습니다. 올바르게 계산한 값은 얼마일까요?

식 ① : ____________ 어떤 수 : ________

식 ② : ____________ 답 : ________

⑫ 어떤 수에서 34를 빼야 할 것을 잘못하여 더했더니 93이 되었습니다. 올바르게 계산한 값은 얼마일까요?

식 ① : ____________ 어떤 수 : ________

식 ② : ____________ 답 : ________

4주차

세 수의 계산

1일 더하고 더하기

식 2개를 만들어서 답을 구하세요.

책장에 동화책 19권과 만화책 8권이 있었는데 책 25권을 더 사서 꽂았습니다. 책장에 있는 책은 모두 몇 권일까요?

식 ① : 19+8=27
(동화책) + (만화책)

식 ② : 27+25=52 답 : 52권
(원래 있던 책) + (더 사서 꽂은 책)

① 냉장고에 흰색 달걀이 27개, 갈색 달걀이 18개 있었는데 달걀 20개를 더 사 넣었습니다. 냉장고에 있는 달걀은 모두 몇 개일까요?

식 ① : ____________

식 ② : ____________ 답 : ________

② 감자를 형우는 45개 캤고, 석민이는 21개 캐서 바구니에 담았습니다. 원래 바구니에 있던 감자가 26개일 때 바구니에 담긴 감자는 모두 몇 개일까요?

식 ① : ____________

식 ② : ____________ 답 : ________

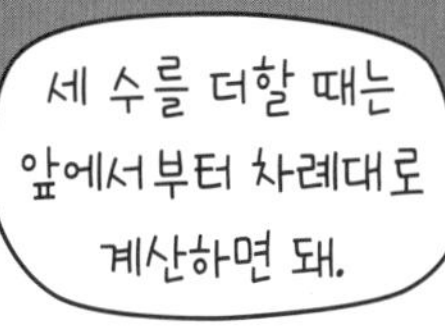

세 수를 더할 때는
앞에서부터 차례대로
계산하면 돼.

❀ 알맞은 식을 쓰고 답을 구하세요.

놀이터에 아이들이 13명 있었습니다. 잠시 후 8명이 더 왔고, 다시 19명이 더 왔습니다. 놀이터에 있는 아이들은 몇 명일까요?

식 : 13+8+19=40　　답 : 40명

21 + 19 = 40

① 빨강 색종이가 21장, 파랑 색종이가 43장, 노랑 색종이가 19장 있습니다. 색종이는 모두 몇 장일까요?

식 : ____________　　답 : ________

② 성우는 초록색 별사탕 18개와 보라색 별사탕 25개를 가지고 있습니다. 명진이는 성우보다 별사탕을 32개 더 가지고 있을 때 명진이가 가진 별사탕은 몇 개일까요?

식 : ____________　　답 : ________

③ 수족관에 열대어가 33마리, 거북이가 8마리, 가재가 15마리 있습니다. 수족관에 있는 동물은 모두 몇 마리일까요?

식 : ____________　　답 : ________

2일 더하고 빼기

식 2개를 만들어서 답을 구하세요.

초콜릿을 태인이가 23개, 아른이가 11개 가지고 있었는데 초콜릿 17개를 나누어 먹었습니다. 남은 초콜릿은 몇 개일까요?

식 ①: 23+11=34
(태인이의 초콜릿) + (아른이의 초콜릿)

식 ②: 34−17=17 답: 17개
(두 사람이 가진 초콜릿) − (먹은 초콜릿)

① 강당에 여학생 47명과 남학생 9명이 있었는데 21명이 강당을 나갔습니다. 강당에 남은 학생은 몇 명일까요?

식 ①: ____________

식 ②: ____________ 답: ________

② 마리는 백 원짜리 동전 19개와 십 원짜리 동전 38개를 가지고 있고, 혁우는 마리보다 동전을 27개 더 적게 가지고 있습니다. 혁우가 가진 동전은 몇 개일까요?

식 ①: ____________

식 ②: ____________ 답: ________

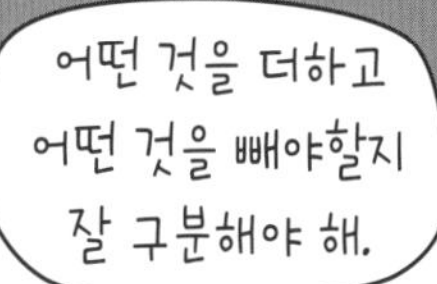
어떤 것을 더하고
어떤 것을 빼야할지
잘 구분해야 해.

알맞은 식을 쓰고 답을 구하세요.

행복 마을에 66명이 살고 있었는데 17명이 새로 이사 왔고, 23명이 다른 마을로 이사를 갔습니다. 행복 마을에는 몇 명이 살고 있을까요?

식 : 66+17−23=60 답 : 60명

83 − 23 = 60

① 아린이는 4살입니다. 아린이의 외삼촌은 아린이보다 48살 많고, 이모는 외삼촌보다 13살 어립니다. 아린이 이모는 몇 살일까요?

식 : ______________ 답 : ______

② 과일 가게에 복숭아가 19개, 참외가 29개 있었는데 참외 15개를 팔았습니다. 남은 복숭아와 참외는 몇 개일까요?

식 : ______________ 답 : ______

③ 가람이는 종이배를 오전에 36대, 오후에 17대 접었고, 나은이는 51대 접었습니다. 가람이는 나은이보다 종이배를 몇 대 더 접었을까요?

식 : ______________ 답 : ______

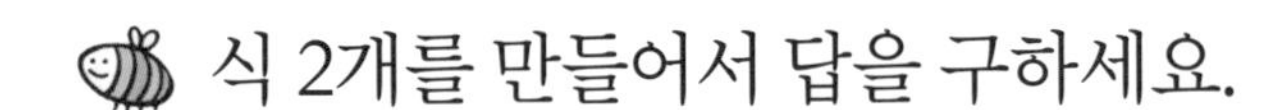

3일 빼고 더하기

식 2개를 만들어서 답을 구하세요.

수영장에 26명이 있었는데 18명이 나가고 39명이 새로 들어왔습니다. 수영장에 있는 사람은 몇 명일까요?

식 ① : 26-18=8
(원래 있던 사람) - (나간 사람)

식 ② : 8+39=47 답 : 47명
(남은 사람) + (새로 들어온 사람)

① 기연이는 색종이 63장을 가지고 있었는데 동생에게 27장을 주고, 15장을 더 샀습니다. 기연이가 가진 색종이는 몇 장일까요?

식 ① : ______

식 ② : ______ 답 : ______

② 농장에 염소가 49마리 있습니다. 소는 염소보다 20마리 더 적고, 돼지는 소보다 44마리 더 많습니다. 농장에 있는 돼지는 몇 마리일까요?

식 ① : ______

식 ② : ______ 답 : ______

알맞은 식을 쓰고 답을 구하세요.

형진이는 사탕 50개 중 11개를 먹었고, 혜인이는 사탕 35개를 가지고 있습니다. 두 사람이 가진 사탕은 모두 몇 개일까요?

식 : 50-11+35=74 답 : 74개

39 + 35 = 74

① 극장 앞에 46명이 줄을 서 있었습니다. 7명이 입장하고 21명이 새로 줄을 섰을 때 줄을 선 사람은 몇 명일까요?

식 : ______ 답 : ______

② 마트에 주스가 25병 있었는데 그중 7병을 팔고 68병을 더 들여왔습니다. 마트에 있는 주스는 몇 병일까요?

식 : ______ 답 : ______

③ 도서관에 소설책이 71권 있습니다. 동화책은 소설책보다 17권 더 적고, 만화책은 동화책보다 15권 더 많습니다. 도서관에 있는 만화책은 몇 권일까요?

식 : ______ 답 : ______

식 2개를 만들어서 답을 구하세요.

광장에 비둘기가 43마리 있었습니다. 잠시 후 15마리가 날아갔고, 다시 14마리가 더 날아갔습니다. 광장에 남은 비둘기는 몇 마리일까요?

식 ① : 43-15=28
(원래 있던 비둘기) - (날아간 비둘기)

식 ② : 28-14=14 답 : 14마리
(남은 비둘기) - (더 날아간 비둘기)

① 색종이 70장이 있었는데 종이학을 접는 데 29장을 쓰고, 종이개구리를 접는 데 8장을 썼습니다. 남은 색종이는 몇 장일까요?

식 ① : ______

식 ② : ______ 답 : ______

② 할머니는 62살이고, 아빠는 할머니보다 30살 더 어립니다. 예린이는 아빠보다 28살 더 어릴 때 예린이는 몇 살일까요?

식 ① : ______

식 ② : ______ 답 : ______

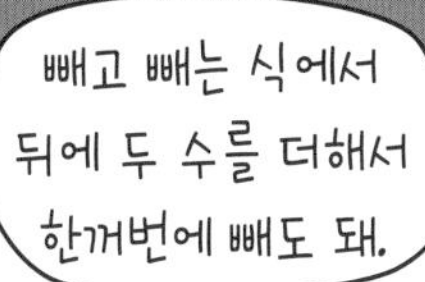

빼고 빼는 식에서
뒤에 두 수를 더해서
한꺼번에 빼도 돼.

알맞은 식을 쓰고 답을 구하세요.

은진이는 76쪽짜리 동화책을 어제 5쪽, 오늘 55쪽 읽었습니다. 남은 동화책은 몇 쪽일까요?

식 : 76-5-55=16 답 : 16쪽

71 - 55 = 16

① 화단에 장미 87송이가 피어 있습니다. 튤립은 장미보다 47송이 더 적게 피었고, 해바라기는 튤립보다 8송이 더 적게 피었습니다. 해바라기는 몇 송이일까요?

식 : ______ 답 : ______

② 길이가 35 cm인 양초가 있습니다. 한 시간 뒤에 양초의 길이는 9 cm 줄었고, 다시 한 시간 뒤에 12 cm 더 줄었습니다. 양초의 길이는 몇 cm일까요?

식 : ______ 답 : ______

③ 중고 자동차 매장에 자동차가 58대 있었는데 오전에 16대, 오후에 25대를 팔았습니다. 남은 자동차는 몇 대일까요?

식 : ______ 답 : ______

5일 세 수의 계산 종합

❀ 알맞은 식을 쓰고 답을 구하세요.

개미집에 개미 35마리가 있었습니다. 개미 28마리가 개미집을 나갔고, 62마리가 개미집으로 돌아왔습니다. 개미집에 있는 개미는 몇 마리일까요?

식 : 35-28+62=69　　답 : 69마리

7 + 62 = 69

① 공원에 참나무가 15그루, 은행나무가 16그루, 버드나무가 18그루 있습니다. 공원에 있는 나무는 모두 몇 그루일까요?

식 : ____________　　답 : ________

② 동근이는 과자 80개를 가지고 있었는데 11개는 먹고, 29개는 친구들에게 나누어 주었습니다. 남은 과자는 몇 개일까요?

식 : ____________　　답 : ________

③ 놀이 공원에 남자 아이 63명, 여자 아이 33명이 있었는데 그중 27명이 놀이 공원을 나갔습니다. 놀이 공원에 남은 아이는 몇 명일까요?

식 : ____________　　답 : ________

더해야 하는데
빼는 실수를 한 적이
누구나 있지 않아?

④ 동물원에 늑대가 30마리 있습니다. 여우는 늑대보다 5마리 더 적고, 사자는 여우보다 7마리 더 적습니다. 동물원에 있는 사자는 몇 마리일까요?

식 : ______________________ 답 : __________

⑤ 교실 책장에 소설책 67권, 동화책 17권이 있었는데 그중 77권을 아이들이 빌려갔습니다. 교실 책장에 남은 책은 몇 권일까요?

식 : ______________________ 답 : __________

⑥ 경태는 월요일에 줄넘기를 39번 넘었고, 화요일에 39번, 수요일에 11번 넘었습니다. 경태가 3일 동안 넘은 줄넘기는 모두 몇 번일까요?

식 : ______________________ 답 : __________

⑦ 미래는 52쪽짜리 동화책 중 13쪽을 읽었고, 39쪽짜리 만화책도 읽으려고 합니다. 미래가 읽어야 하는 책은 모두 몇 쪽일까요?

식 : ______________________ 답 : __________

확인학습

알맞은 식을 쓰고 답을 구하세요.

① 통에 흰 바둑돌 15개와 검은 바둑돌 36개가 있었는데, 바둑돌 23개를 더 넣었습니다. 통에 있는 바둑돌은 모두 몇 개일까요?

식 : ____________________ 답 : __________

② 고운이가 줄넘기를 월요일에 9번, 화요일에 19번, 수요일에 30번 넘었습니다. 3일 동안 고운이가 넘은 줄넘기는 몇 번일까요?

식 : ____________________ 답 : __________

알맞은 식을 쓰고 답을 구하세요.

③ 아빠의 몸무게는 59 kg이고, 아빠 가방의 무게는 12 kg입니다. 엄마의 몸무게는 53 kg일 때, 가방을 맨 아빠는 엄마보다 몇 kg 더 나갈까요?

식 : ____________________ 답 : __________

④ 버스에 26명이 타고 있었는데 정류장에서 24명이 타고 4명이 내렸습니다. 버스에 타고 있는 사람은 몇 명일까요?

식 : ____________________ 답 : __________

알맞은 식을 쓰고 답을 구하세요.

⑤ 냉장고에 체리 69개가 있었는데 오전에 23개를 먹고 오후에 18개를 더 사와서 넣었습니다. 냉장고에 있는 체리는 몇 개일까요?

식 : ____________________ 답 : __________

⑥ 지현이는 수학 문제 20문제를 풀었습니다. 현태는 지현이보다 11문제 덜 풀었고, 강우는 현태보다 77문제 더 풀었습니다. 강우가 푼 문제는 몇 문제일까요?

식 : ____________________ 답 : __________

알맞은 식을 쓰고 답을 구하세요.

⑦ 광대 아저씨가 풍선 73개를 불었습니다. 그중 8개는 아이들에게 나누어 주고 19개는 그만 터지고 말았습니다. 남은 풍선은 몇 개일까요?

식 : ____________________ 답 : __________

⑧ 아이들이 종이비행기 44대를 접었습니다. 종이학은 종이비행기보다 11대 더 적게 접었고, 종이배는 종이학보다 18대 더 적게 접었습니다. 종이배는 몇 대일까요?

식 : ____________________ 답 : __________

확인학습

알맞은 식을 쓰고 답을 구하세요.

⑨ 준우는 오백 원짜리 동전 6개와 백 원짜리 동전 46개를 가지고 있었는데 그중 21개를 저금통에 넣었습니다. 남은 동전은 몇 개일까요?

식 : ______________________ 답 : __________

⑩ 주차장에 자동차가 84대 있었는데 80대가 빠져나가고 7대가 더 왔습니다. 주차장에 있는 자동차는 몇 대일까요?

식 : ______________________ 답 : __________

⑪ 수지가 가진 동물 스티커는 63장입니다. 별 스티커는 동물 스티커보다 5장 더 많고, 하트 스티커는 별 스티커보다 12장 더 많습니다. 하트 스티커는 몇 장일까요?

식 : ______________________ 답 : __________

⑫ 운동장에 학생들이 51명 있었는데 34명은 교실로 돌아갔고, 7명은 체육관으로 들어갔습니다. 운동장에 남은 학생은 몇 명일까요?

식 : ______________________ 답 : __________

진단평가

진단평가에는 앞에서 학습한 4주차의 문장제 활동이 순서대로 나옵니다. 잘못 푼 문제가 있으면 몇 주차인지 확인하여 반드시 한 번 더 복습해 봅니다.

1주차	3주차
2주차	4주차

진단평가

알맞은 식을 쓰고 몇 큰 수를 구하세요.

① 95보다 33 큰 수는 얼마일까요?

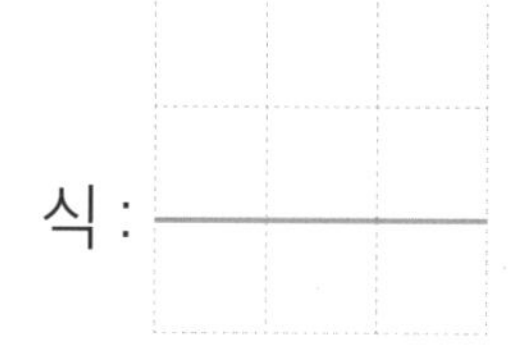

식 : 답 :

② 37보다 55 큰 수는 얼마일까요?

식 : 답 :

알맞은 식을 쓰고 답을 구하세요.

③ 과일 가게에 참외가 62개, 수박이 7개 있습니다. 참외는 수박보다 몇 개 더 많을까요?

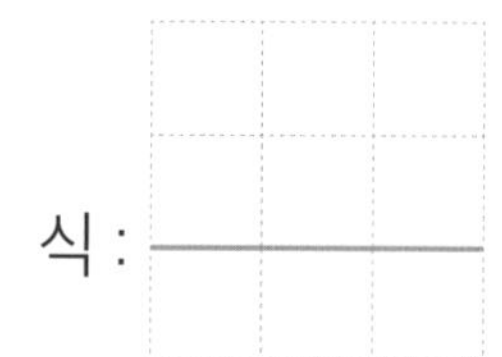

식 : 답 :

④ 도서관에 소설책이 48권, 동화책이 71권 있습니다. 도서관에 있는 소설책과 동화책은 모두 몇 권일까요?

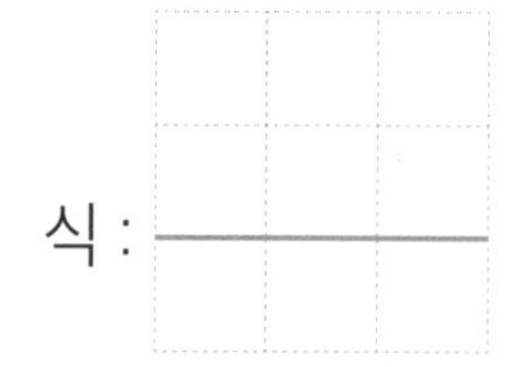

식 : 답 :

잘못된 계산을 보고 올바르게 계산한 값을 구하세요.

⑤ 어떤 수에 45를 더해야 할 것을 잘못하여 뺐더니 8이 되었습니다. 올바르게 계산한 값은 얼마일까요?

식 ① : ______________ 어떤 수 : ________

식 ② : ______________ 답 : ________

⑥ 어떤 수에서 25를 빼야 할 것을 잘못하여 더했더니 83이 되었습니다. 올바르게 계산한 값은 얼마일까요?

식 ① : ______________ 어떤 수 : ________

식 ② : ______________ 답 : ________

알맞은 식을 쓰고 답을 구하세요.

⑦ 고모는 48살이고, 고종 사촌은 고모보다 24살 어립니다. 17년 뒤에 고종 사촌은 몇 살일까요?

식 : ________________ 답 : ________

⑧ 빨강 색종이 62장 중 5장은 썼고, 파랑 색종이는 20장 있습니다. 두 색종이는 모두 몇 장일까요?

식 : ________________ 답 : ________

2회차 **진단평가**

✎ 알맞은 식을 쓰고 몇 작은 수를 구하세요.

① 22보다 16 작은 수는 얼마일까요?

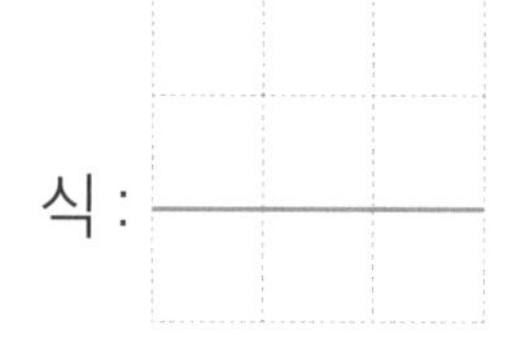

식 : ____________ 답 : ____________

② 55보다 37 작은 수는 얼마일까요?

식 : ____________ 답 : ____________

✎ 알맞은 식을 쓰고 답을 구하세요.

③ 연주는 연필 47자루와 볼펜 39자루를 샀습니다. 연주가 산 연필은 볼펜보다 몇 자루 더 많을까요?

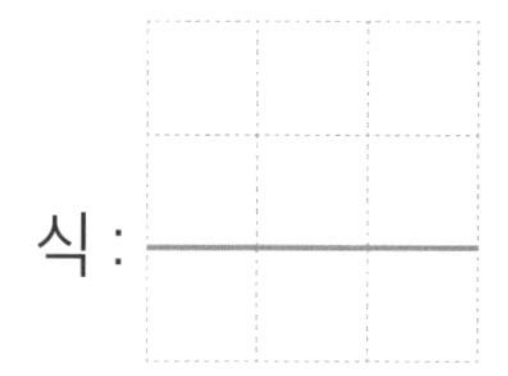

식 : ____________ 답 : ____________

④ 강우는 종이개구리를 47마리 접었고, 종이학은 종이개구리보다 92마리 더 접었습니다. 강우가 접은 종이학은 몇 마리일까요?

식 : ____________ 답 : ____________

월	일
제한 시간	10분
맞은 개수	/ 8개

✎ 어떤 수를 □로 하여 덧셈식을 만들고 어떤 수를 구해 보세요.

⑤ 어떤 수와 5의 합은 51입니다. 어떤 수는 얼마일까요?

식 : ______________ 답 : ________

⑥ 48에 어떤 수를 더했더니 93이 되었습니다. 어떤 수는 얼마일까요?

식 : ______________ 답 : ________

✎ 알맞은 식을 쓰고 답을 구하세요.

⑦ 상은이네 가족은 고구마를 96개 캤는데 67개는 이웃에게 나누어 주고, 8개를 먹었습니다. 남은 고구마는 몇 개일까요?

식 : ______________ 답 : ________

⑧ 할머니는 올해 54살이고, 외삼촌은 할머니보다 18살 더 어립니다. 나래는 외삼촌보다 18살 더 어릴 때 나래는 몇 살일까요?

식 : ______________ 답 : ________

3회차

진단평가

수 카드로 만든 두 자리 수보다 몇 큰 수를 구하세요.

① 수 카드 3장 중 2장을 골라 둘째로 작은 두 자리 수를 만들었습니다. 만든 수보다 71 큰 수를 구하세요.

② 수 카드 4장 중 2장을 골라 가장 큰 두 자리 수를 만들었습니다. 만든 수보다 9 큰 수를 구하세요.

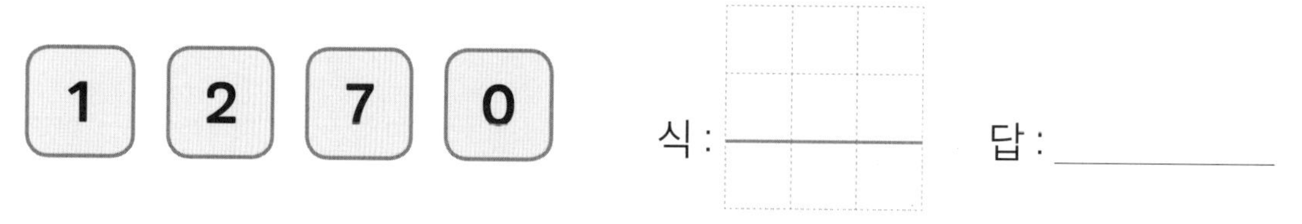

알맞은 식을 쓰고 답을 구하세요.

③ 77 더하기 88은 얼마일까요?

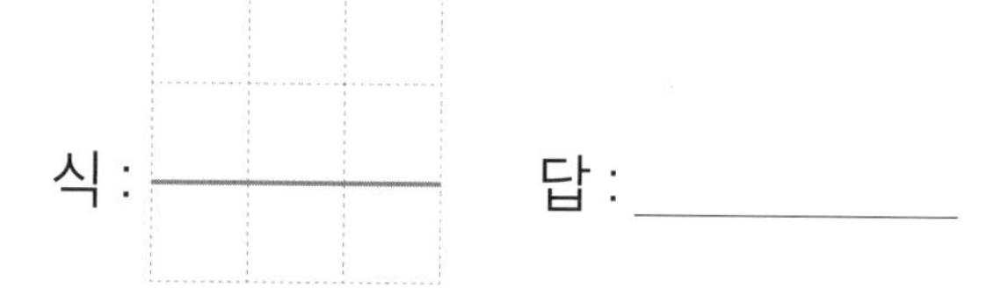

④ 31보다 22 작은 수는 얼마일까요?

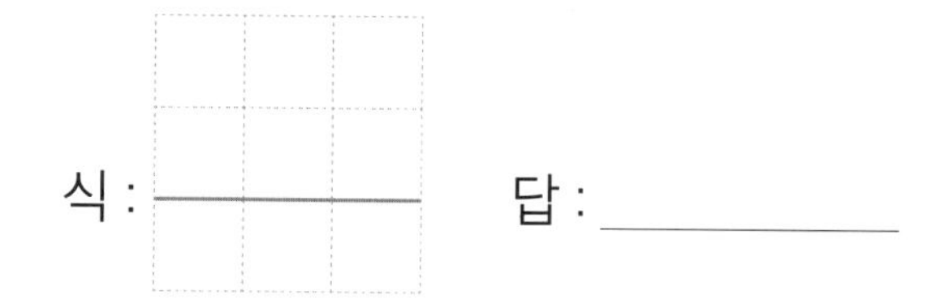

어떤 수를 □로 하여 뺄셈식을 만들고 어떤 수를 구해 보세요.

⑤ 21에서 어떤 수를 뺐더니 3이 되었습니다. 어떤 수는 얼마일까요?

식 : ____________ 답 : ______

⑥ 어떤 수보다 77 작은 수는 15입니다. 어떤 수는 얼마일까요?

식 : ____________ 답 : ______

알맞은 식을 쓰고 답을 구하세요.

⑦ 은하는 18살입니다. 엄마는 은하보다 42살 더 많고, 언니는 엄마보다 33살 더 어립니다. 은하의 언니는 몇 살일까요?

식 : ____________ 답 : ______

⑧ 사과나무에 사과가 58개 열려 있었습니다. 그중 32개는 땄고, 46개가 더 열렸습니다. 사과나무에 있는 사과는 몇 개일까요?

식 : ____________ 답 : ______

4회차 진단평가

수 카드로 만든 두 자리 수보다 몇 작은 수를 구하세요.

① 수 카드 3장 중 2장을 골라 둘째로 작은 두 자리 수를 만들었습니다. 만든 수보다 39 작은 수를 구하세요.

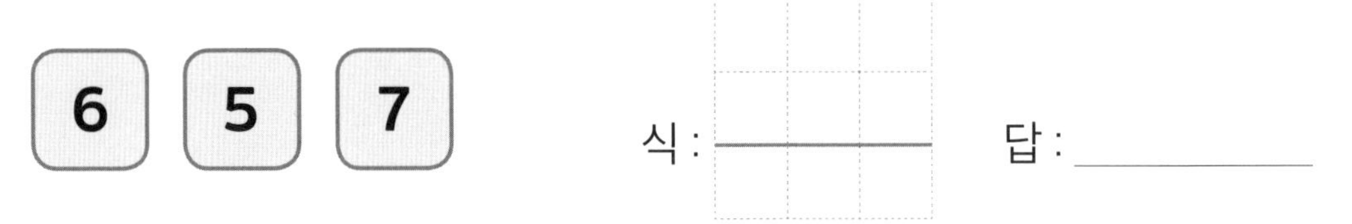

② 수 카드 4장 중 2장을 골라 가장 큰 두 자리 수를 만들었습니다. 만든 수보다 29 작은 수를 구하세요.

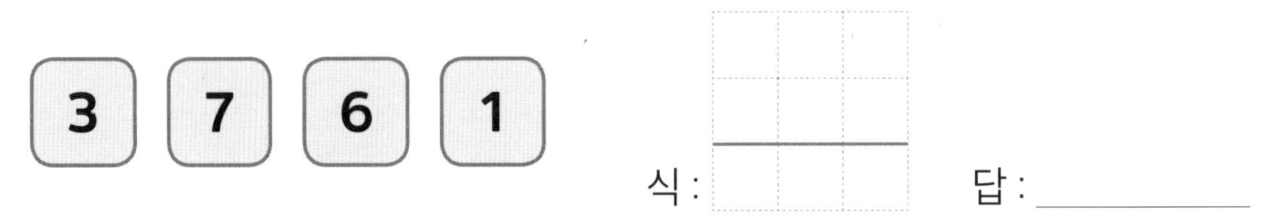

알맞은 식을 쓰고 답을 구하세요.

③ 하늘에 드론이 36대 떠 있었는데 37대를 더 띄웠습니다. 하늘에 있는 드론은 모두 몇 대일까요?

④ 채소 가게에 감자가 73개 있었는데 14개를 팔았습니다. 채소 가게에 남은 감자는 몇 개일까요?

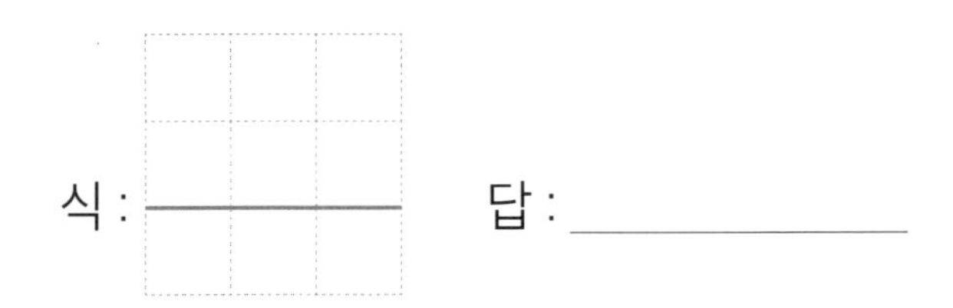

□가 있는 식을 쓰고 답을 구하세요.

⑤ 엄마가 오전에 쿠키 22개를 만들고 오후에 몇 개를 더 만들었더니 모두 31개가 되었습니다. 엄마가 오후에 만든 쿠키는 몇 개일까요?

식 : ______________ 답 : ______________

⑥ 강아지가 6개월 동안 78 cm 자라서 키가 93 cm가 되었습니다. 6개월 전 강아지의 키는 몇 cm였을까요?

식 : ______________ 답 : ______________

알맞은 식을 쓰고 답을 구하세요.

⑦ 희진이가 스티커 40장을 가지고 있고, 연우는 36장, 레이는 18장 가지고 있습니다. 세 사람이 가진 스티커는 모두 몇 장일까요?

식 : ______________ 답 : ______________

⑧ 나무 위에 참새가 51마리 앉아 있었습니다. 잠시 후 참새 7마리가 날아왔고, 다시 12마리가 더 날아왔습니다. 나무 위에 있는 참새는 모두 몇 마리일까요?

식 : ______________ 답 : ______________

5회차 진단평가

수 카드로 만든 두 자리 수의 합 또는 차를 구하세요.

① 수 카드 3장 중 2장을 골라 두 자리 수를 만들었습니다. 둘째로 작은 수와 가장 큰 수의 차를 구하세요.

② 수 카드 4장 중 2장을 골라 두 자리 수를 만들었습니다. 가장 작은 수와 둘째로 작은 수의 합을 구하세요.

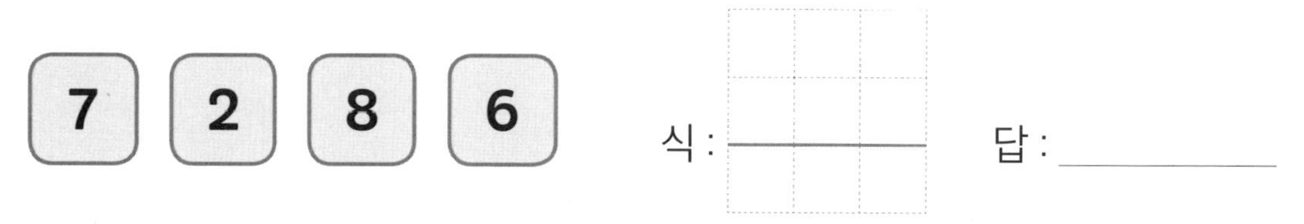

알맞은 식을 쓰고 답을 구하세요.

③ 정원에 장미가 70송이 피었고, 해바라기는 장미보다 12송이 더 적게 피었습니다. 정원에 핀 해바라기는 몇 송이일까요?

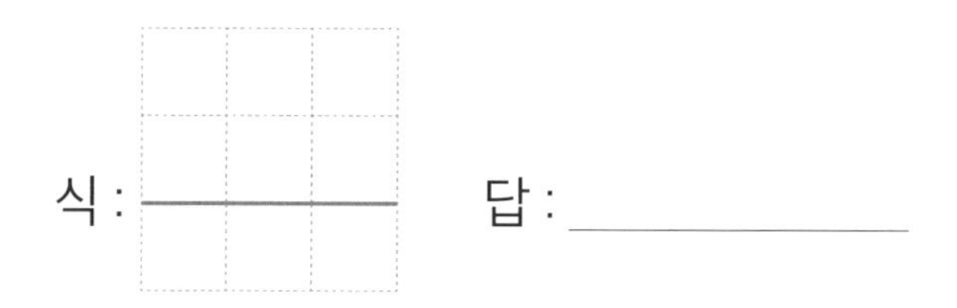

④ 마을에 89채의 집이 있는데 내년까지 98채를 더 지으려고 합니다. 마을에 있는 집은 내년에 몇 채가 될까요?

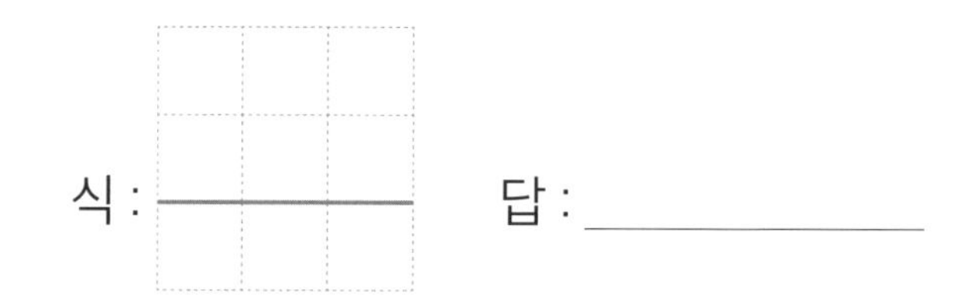

월 일	
제한 시간	10분
맞은 개수	/ 8개

□가 있는 식을 쓰고 답을 구하세요.

⑤ 다람쥐가 도토리를 71개 모았는데 몇 개는 숨겨 놓고 17개를 남겼습니다. 다람쥐가 숨긴 도토리는 몇 개일까요?

식 : ________________ 답 : __________

⑥ 테이가 가진 스티커는 정우가 가진 스티커보다 6장 적은 86장입니다. 정우가 가진 스티커는 몇 장일까요?

식 : ________________ 답 : __________

알맞은 식을 쓰고 답을 구하세요.

⑦ 피자 가게에서 피자를 오전에 53판, 오후에 35판 만들었고, 이 중 79판을 팔았습니다. 피자 가게에 남은 피자는 몇 판일까요?

식 : ________________ 답 : __________

⑧ 꽃집에 튤립 25송이가 있습니다. 장미는 튤립보다 20송이 더 많고, 국화는 장미보다 8송이 더 적을 때 꽃집에 있는 국화는 몇 송이일까요?

식 : ________________ 답 : __________

Memo

하루 10분 서술형/문장제 학습지

씨투엠

수학 독해

정답

B2 덧셈과 뺄셈

초2~초3

정답

B2 덧셈과 뺄셈

초2~초3

P 06 ~ 07

1일 몇 큰 수

몇 큰 수를 구할 때는 덧셈식을 사용해야 해.

세로셈 식을 완성하고 밑줄 친 곳에 알맞은 수를 구하세요.

25 더하기 7은 __32__ 입니다.

$$\begin{array}{r} {}^{1}\ \ \\ 2\,5 \\ +\ \ \ 7 \\ \hline 3\,2 \end{array}$$

1+2=3 5+7=12

① 34 더하기 49는 __83__ 입니다.

$$\begin{array}{r} 3\,4 \\ +\ 4\,9 \\ \hline 8\,3 \end{array}$$

② 51과 83의 합은 __134__ 와 같습니다.

$$\begin{array}{r} 5\,1 \\ +\ 8\,3 \\ \hline 1\,3\,4 \end{array}$$

③ 66과 44의 합은 __110__ 과 같습니다.

$$\begin{array}{r} 6\,6 \\ +\ 4\,4 \\ \hline 1\,1\,0 \end{array}$$

알맞은 식을 쓰고 몇 큰 수를 구하세요.

35보다 9 큰 수는 얼마일까요?

식 : $\begin{array}{r} 3\,5 \\ +\ \ \ 9 \\ \hline 4\,4 \end{array}$ 답 : __44__

① 52보다 28 큰 수는 얼마일까요?

식 : $\begin{array}{r} 5\,2 \\ +\ 2\,8 \\ \hline 8\,0 \end{array}$ 답 : __80__

② 80보다 31 큰 수는 얼마일까요?

식 : $\begin{array}{r} 8\,0 \\ +\ 3\,1 \\ \hline 1\,1\,1 \end{array}$ 답 : __111__

③ 65보다 28 큰 수는 얼마일까요?

식 : $\begin{array}{r} 6\,5 \\ +\ 2\,8 \\ \hline 9\,3 \end{array}$ 답 : __93__

④ 78보다 79 큰 수는 얼마일까요?

식 : $\begin{array}{r} 7\,8 \\ +\ 7\,9 \\ \hline 1\,5\,7 \end{array}$ 답 : __157__

6 B2-덧셈과 뺄셈 1주: 몇 크고 작은 수 7

P 08 ~ 09

2일 몇 작은 수

몇 작은 수를 구할 때는 뺄셈식을 사용해야 해.

세로셈 식을 완성하고 밑줄 친 곳에 알맞은 수를 구하세요.

61 빼기 8은 __53__ 입니다.

$$\begin{array}{r} {}^{5\ 10} \\ 6\,1 \\ -\ \ \ 8 \\ \hline 5\,3 \end{array}$$

11-8=3

① 50 빼기 13은 __37__ 입니다.

$$\begin{array}{r} 5\,0 \\ -\ 1\,3 \\ \hline 3\,7 \end{array}$$

② 62와 27의 차는 __35__ 와 같습니다.

$$\begin{array}{r} 6\,2 \\ -\ 2\,7 \\ \hline 3\,5 \end{array}$$

③ 45와 93의 차는 __48__ 과 같습니다.

$$\begin{array}{r} 9\,3 \\ -\ 4\,5 \\ \hline 4\,8 \end{array}$$

알맞은 식을 쓰고 몇 작은 수를 구하세요.

66보다 17 작은 수는 얼마일까요?

식 : $\begin{array}{r} 6\,6 \\ -\ 1\,7 \\ \hline 4\,9 \end{array}$ 답 : __49__

① 40보다 6 작은 수는 얼마일까요?

식 : $\begin{array}{r} 4\,0 \\ -\ \ \ 6 \\ \hline 3\,4 \end{array}$ 답 : __34__

② 58보다 49 작은 수는 얼마일까요?

식 : $\begin{array}{r} 5\,8 \\ -\ 4\,9 \\ \hline 9 \end{array}$ 답 : __9__

③ 80보다 55 작은 수는 얼마일까요?

식 : $\begin{array}{r} 8\,0 \\ -\ 5\,5 \\ \hline 2\,5 \end{array}$ 답 : __25__

④ 94보다 47 작은 수는 얼마일까요?

식 : $\begin{array}{r} 9\,4 \\ -\ 4\,7 \\ \hline 4\,7 \end{array}$ 답 : __47__

8 B2-덧셈과 뺄셈 1주: 몇 크고 작은 수 9

P 10~11

3일 만든 수보다 몇 큰 수

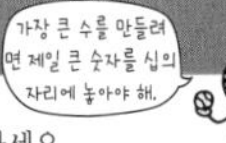

수 카드로 만든 두 자리 수보다 몇 큰 수를 구하세요.

수 카드 3장 중 2장을 골라 가장 큰 두 자리 수를 만들었습니다. 만든 수보다 8 큰 수를 구하세요.

1 3 6

식: 63 + 8 = 71 답: 71

가장 큰 수 : 63

① 수 카드 3장 중 2장을 골라 가장 작은 두 자리 수를 만들었습니다. 만든 수보다 5 큰 수를 구하세요.

9 4 5

식: 45 + 5 = 50 답: 50

② 수 카드 3장 중 2장을 골라 가장 큰 두 자리 수를 만들었습니다. 만든 수보다 18 큰 수를 구하세요.

2 3 8

식: 83 + 18 = 101 답: 101

③ 수 카드 3장 중 2장을 골라 가장 작은 두 자리 수를 만들었습니다. 만든 수보다 58 큰 수를 구하세요.

7 0 6

식: 60 + 58 = 118 답: 118

수 카드로 만든 두 자리 수보다 몇 큰 수를 구하세요.

수 카드 4장 중 2장을 골라 가장 작은 두 자리 수를 만들었습니다. 만든 수보다 60 큰 수를 구하세요.

5 0 6 8

식: 50 + 60 = 110 답: 110

가장 작은 수 : 50

① 수 카드 4장 중 2장을 골라 가장 큰 두 자리 수를 만들었습니다. 만든 수보다 51 큰 수를 구하세요.

9 1 4 2

식: 94 + 51 = 145 답: 145

② 수 카드 4장 중 2장을 골라 둘째로 큰 두 자리 수를 만들었습니다. 만든 수보다 16 큰 수를 구하세요.

3 4 5 7

식: 74 + 16 = 90 답: 90

③ 수 카드 4장 중 2장을 골라 둘째로 작은 두 자리 수를 만들었습니다. 만든 수보다 89 큰 수를 구하세요.

0 5 3 9

식: 35 + 89 = 124 답: 124

10 B2-덧셈과 뺄셈 1주: 몇 크고 작은 수 11

P 12~13

4일 만든 수보다 몇 작은 수

가장 작은 수를 만들려면 작은 숫자부터 십의 자리에 놓아.

수 카드로 만든 두 자리 수보다 몇 작은 수를 구하세요.

수 카드 3장 중 2장을 골라 가장 작은 두 자리 수를 만들었습니다. 만든 수보다 7 작은 수를 구하세요.

2 4 5

식: 24 − 7 = 17 답: 17

가장 작은 수 : 24

① 수 카드 3장 중 2장을 골라 가장 큰 두 자리 수를 만들었습니다. 만든 수보다 19 작은 수를 구하세요.

9 8 1

식: 98 − 19 = 79 답: 79

② 수 카드 3장 중 2장을 골라 가장 작은 두 자리 수를 만들었습니다. 만든 수보다 15 작은 수를 구하세요.

4 0 6

식: 40 − 15 = 25 답: 25

③ 수 카드 3장 중 2장을 골라 가장 큰 두 자리 수를 만들었습니다. 만든 수보다 67 작은 수를 구하세요.

3 1 7

식: 73 − 67 = 6 답: 6

수 카드로 만든 두 자리 수보다 몇 작은 수를 구하세요.

수 카드 4장 중 2장을 골라 둘째로 큰 두 자리 수를 만들었습니다. 만든 수보다 34 작은 수를 구하세요.

1 2 9 4

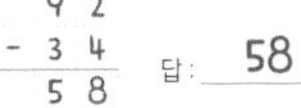

식: 92 − 34 = 58 답: 58

가장 큰 수 : 94, 둘째로 큰 수 : 92

① 수 카드 4장 중 2장을 골라 가장 작은 두 자리 수를 만들었습니다. 만든 수보다 16 작은 수를 구하세요.

2 3 0 8

식: 20 − 16 = 4 답: 4

② 수 카드 4장 중 2장을 골라 둘째로 작은 두 자리 수를 만들었습니다. 만든 수보다 8 작은 수를 구하세요.

4 7 9 3

식: 37 − 8 = 29 답: 29

③ 수 카드 4장 중 2장을 골라 가장 큰 두 자리 수를 만들었습니다. 만든 수보다 26 작은 수를 구하세요.

6 3 1 2

식: 63 − 26 = 37 답: 37

12 B2-덧셈과 뺄셈 1주: 몇 크고 작은 수 13

1주 몇 크고 작은 수

P 14 ~ 15

5일 만든 수의 합과 차

❀ 수 카드로 만든 두 자리 수의 합을 구하세요.

수 카드 3장 중 2장을 골라 두 자리 수를 만들었습니다. 가장 큰 수와 가장 작은 수의 합을 구하세요.

4 9 0

식: $94 + 40 = 134$ 답: 134

가장 큰 수 : 94, 가장 작은 수 : 40

① 수 카드 4장 중 2장을 골라 두 자리 수를 만들었습니다. 가장 큰 수와 가장 작은 수의 합을 구하세요.

3 2 4 9

식: $94 + 23 = 117$ 답: 117

② 수 카드 3장 중 2장을 골라 두 자리 수를 만들었습니다. 가장 큰 수와 둘째로 큰 수의 합을 구하세요.

8 3 5

식: $85 + 83 = 168$ 답: 168

③ 수 카드 4장 중 2장을 골라 두 자리 수를 만들었습니다. 가장 큰 수와 둘째로 작은 수의 합을 구하세요.

2 6 1 7

식: $76 + 16 = 92$ 답: 92

차를 구할 때는 큰 수에서 작은 수를 빼야 해.

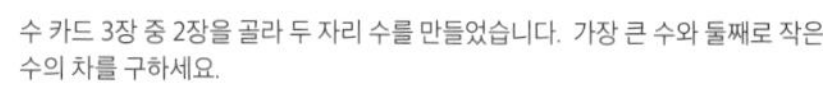

❀ 수 카드로 만든 두 자리 수의 차를 구하세요.

수 카드 3장 중 2장을 골라 두 자리 수를 만들었습니다. 가장 큰 수와 둘째로 작은 수의 차를 구하세요.

7 1 3

식: $73 - 17 = 56$ 답: 56

가장 큰 수 : 73, 둘째로 작은 수 : 17

① 수 카드 3장 중 2장을 골라 두 자리 수를 만들었습니다. 둘째로 작은 수와 둘째로 큰 수의 차를 구하세요.

2 4 8

식: $82 - 28 = 54$ 답: 54

② 수 카드 4장 중 2장을 골라 두 자리 수를 만들었습니다. 가장 큰 수와 가장 작은 수의 차를 구하세요.

6 0 3 5

식: $65 - 30 = 35$ 답: 35

③ 수 카드 4장 중 2장을 골라 두 자리 수를 만들었습니다. 가장 작은 수와 둘째로 큰 수의 차를 구하세요.

9 8 7 4

식: $97 - 47 = 50$ 답: 50

P 16 ~ 17

확인학습

✎ 알맞은 식을 쓰고 몇 크거나 작은 수를 구하세요.

① 27보다 18 큰 수는 얼마일까요?

식: $27 + 18 = 45$ 답: 45

② 73보다 29 작은 수는 얼마일까요?

식: $73 - 29 = 44$ 답: 44

③ 97보다 7 큰 수는 얼마일까요?

식: $97 + 7 = 104$ 답: 104

④ 90보다 4 작은 수는 얼마일까요?

식: $90 - 4 = 86$ 답: 86

⑤ 46보다 85 큰 수는 얼마일까요?

식: $46 + 85 = 131$ 답: 131

✎ 수 카드로 만든 두 자리 수보다 몇 크거나 작은 수를 구하세요.

⑥ 수 카드 3장 중 2장을 골라 가장 작은 두 자리 수를 만들었습니다. 만든 수보다 28 큰 수를 구하세요.

3 1 8

식: $13 + 28 = 41$ 답: 41

⑦ 수 카드 4장 중 2장을 골라 둘째로 큰 두 자리 수를 만들었습니다. 만든 수보다 37 큰 수를 구하세요.

1 8 7 5

식: $85 + 37 = 122$ 답: 122

⑧ 수 카드 3장 중 2장을 골라 가장 작은 두 자리 수를 만들었습니다. 만든 수보다 15 작은 수를 구하세요.

5 0 7

식: $50 - 15 = 35$ 답: 35

⑨ 수 카드 4장 중 2장을 골라 둘째로 큰 두 자리 수를 만들었습니다. 만든 수보다 29 작은 수를 구하세요.

5 8 4 9

식: $95 - 29 = 66$ 답: 66

P 18

확인학습

수 카드로 만든 두 자리 수의 합 또는 차를 구하세요.

⑩ 수 카드 3장 중 2장을 골라 두 자리 수를 만들었습니다. 가장 큰 수와 가장 작은 수의 합을 구하세요.

8 3 4

식 : $84 + 34 = 118$ 답 : 118

⑪ 수 카드 4장 중 2장을 골라 두 자리 수를 만들었습니다. 가장 큰 수와 가장 작은 수의 차를 구하세요.

4 6 0 8

식 : $86 - 40 = 46$ 답 : 46

⑫ 수 카드 3장 중 2장을 골라 두 자리 수를 만들었습니다. 가장 큰 수와 둘째로 큰 수의 차를 구하세요.

2 7 5

식 : $75 - 72 = 3$ 답 : 3

⑬ 수 카드 4장 중 2장을 골라 두 자리 수를 만들었습니다. 가장 작은 수와 둘째로 큰 수의 합을 구하세요.

1 2 9 3

식 : $12 + 92 = 104$ 답 : 104

18 B2-덧셈과 뺄셈

P 20 ~ 21

1일 더하기와 빼기

더하기 식과 빼기 식 중 어느 것을 만들어야 할지 결정해야 해.

❀ 세로셈 식을 완성하고 밑줄 친 곳에 알맞은 수를 구하세요.

58 더하기 7은 65 입니다.

$$\begin{array}{r} 5\,8 \\ +\ \ \ 7 \\ \hline 6\,5 \end{array}$$

1+5=6 8+7=15

① 34 빼기 15는 19 입니다.

$$\begin{array}{r} 3\,4 \\ -\ 1\,5 \\ \hline 1\,9 \end{array}$$

② 75와 33의 합은 108 과 같습니다.

$$\begin{array}{r} 7\,5 \\ +\ 3\,3 \\ \hline 1\,0\,8 \end{array}$$

③ 60과 39의 차는 21 과 같습니다.

$$\begin{array}{r} 6\,0 \\ -\ 3\,9 \\ \hline 2\,1 \end{array}$$

❀ 알맞은 식을 쓰고 답을 구하세요.

44와 17의 차는 얼마일까요?

식: $\begin{array}{r} 4\,4 \\ -\ 1\,7 \\ \hline 2\,7 \end{array}$ 답: 27

① 63 더하기 68은 얼마일까요?

식: $\begin{array}{r} 6\,3 \\ +\ 6\,8 \\ \hline 1\,3\,1 \end{array}$ 답: 131

② 91보다 35 작은 수는 얼마일까요?

식: $\begin{array}{r} 9\,1 \\ -\ 3\,5 \\ \hline 5\,6 \end{array}$ 답: 56

③ 62 빼기 18은 얼마일까요?

식: $\begin{array}{r} 6\,2 \\ -\ 1\,8 \\ \hline 4\,4 \end{array}$ 답: 44

④ 73보다 84 큰 수는 얼마일까요?

식: $\begin{array}{r} 7\,3 \\ +\ 8\,4 \\ \hline 1\,5\,7 \end{array}$ 답: 157

P 22 ~ 23

2일 늘어나고 줄어드는

늘어나는 상황은 덧셈, 줄어드는 상황은 뺄셈을 하면 돼.

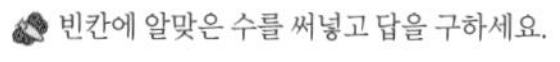

빈칸에 알맞은 수를 써넣고 답을 구하세요.

정우는 사탕을 27개 가지고 있었는데 15개를 더 샀습니다. 정우가 가진 사탕은 모두 몇 개일까요?

27 + 15 = 42 답: 42개

① 냉장고에 딸기가 36개 있었는데 8개를 먹었습니다. 냉장고에 남은 딸기는 모두 몇 개일까요?

36 - 8 = 28 답: 28개

② 주차장에 자동차가 44대 주차되어 있었는데 49대가 더 왔습니다. 주차장에 있는 자동차는 모두 몇 대일까요?

44 + 49 = 93 답: 93대

③ 운동장에 학생 50명이 있었는데 17명이 집으로 돌아갔습니다. 운동장에 남은 학생은 몇 명일까요?

50 - 17 = 33 답: 33명

알맞은 식을 쓰고 답을 구하세요.

마당에 참새 61마리가 있었는데 57마리가 날아갔습니다. 마당에 남은 참새는 몇 마리일까요?

식: $\begin{array}{r} 6\,1 \\ -\ 5\,7 \\ \hline 4 \end{array}$ 답: 4마리

① 경주는 우표 19장을 가지고 있었는데 4장을 더 모았습니다. 경주가 모은 우표는 모두 몇 장일까요?

식: $\begin{array}{r} 1\,9 \\ +\ \ \ 4 \\ \hline 2\,3 \end{array}$ 답: 23장

② 단풍나무의 키가 75 cm였는데 65 cm 더 자랐습니다. 단풍나무의 키는 몇 cm일까요?

식: $\begin{array}{r} 7\,5 \\ +\ 6\,5 \\ \hline 1\,4\,0 \end{array}$ 답: 140 cm

③ 불이 켜진 양초 82개가 있었는데 18개의 불이 꺼졌습니다. 불이 켜진 양초는 몇 개 남았을까요?

식: $\begin{array}{r} 8\,2 \\ -\ 1\,8 \\ \hline 6\,4 \end{array}$ 답: 64개

P 24 ~ 25

3일 몇 크고 몇 작은

몇 큰 수는 덧셈, 몇 작은 수는 뺄셈으로 구하면 돼.

빈칸에 알맞은 수를 써넣고 답을 구하세요.

빨강 색종이가 52장 있고, 노랑 색종이는 빨강 색종이보다 29장 더 적습니다. 노랑 색종이는 몇 장일까요?

52 - 29 = 23 답: 23장

① 냉장고에 오리알이 75개 있고, 달걀은 오리알보다 18개 더 많습니다. 냉장고에 있는 달걀은 몇 개일까요?

75 + 18 = 93 답: 93개

② 동주가 모은 배지는 24개이고, 소희는 동주보다 48개 더 모았습니다. 소희가 모은 배지는 몇 개일까요?

24 + 48 = 72 답: 72개

③ 농장에 돼지가 83마리 있고, 소는 돼지보다 69마리 더 적습니다. 농장에 있는 소는 몇 마리일까요?

83 - 69 = 14 답: 14마리

알맞은 식을 쓰고 답을 구하세요.

식당에 우유가 46병 있고, 주스는 우유보다 74병 더 많습니다. 식당에 있는 주스는 몇 병일까요?

식: $\begin{array}{r} 46 \\ +\ 74 \\ \hline 120 \end{array}$ 답: 120병

① 밤하늘에 2등성이 45개 있고, 1등성은 2등성보다 19개 더 적습니다. 밤하늘에 있는 1등성은 몇 개일까요?

식: $\begin{array}{r} 45 \\ -\ 19 \\ \hline 26 \end{array}$ 답: 26개

② 아빠의 몸무게는 89 kg이고, 삼촌은 아빠보다 5 kg 더 무겁습니다. 삼촌의 몸무게는 몇 kg일까요?

식: $\begin{array}{r} 89 \\ +\ 5 \\ \hline 94 \end{array}$ 답: 94 kg

③ 지은이가 다크 초콜릿 61개를 만들고, 화이트 초콜릿은 다크 초콜릿보다 28개 더 적게 만들었습니다. 지은이가 만든 화이트 초콜릿은 몇 개일까요?

식: $\begin{array}{r} 61 \\ -\ 28 \\ \hline 33 \end{array}$ 답: 33개

24 B2-덧셈과 뺄셈 | 2주: 덧셈과 뺄셈 25

P 26 ~ 27

4일 모으기와 비교하기

모을 때는 덧셈,
차이를 구할 때는
뺄셈을 써야지.

빈칸에 알맞은 수를 써넣고 답을 구하세요.

테이네 반 남학생은 15명이고, 여학생은 25명입니다. 테이네 반 학생은 모두 몇 명일까요?

15 + 25 = 40 답: 40명

① 할아버지는 70살이고, 할머니는 67살입니다. 할아버지는 할머니보다 몇 살 더 많을까요?

70 - 67 = 3 답: 3살

② 공원 주차장에 자전거가 52대, 자동차가 28대 있습니다. 자전거는 자동차보다 몇 대 더 많을까요?

52 - 28 = 24 답: 24대

③ 방학 동안 수하가 받은 칭찬 스티커는 42장, 고운이가 받은 칭찬 스티커는 29장입니다. 두 사람이 받은 칭찬 스티커는 모두 몇 장일까요?

42 + 29 = 71 답: 71장

알맞은 식을 쓰고 답을 구하세요.

동물원에 펭귄이 95마리, 물개가 76마리 있습니다. 펭귄은 물개보다 몇 마리 더 많을까요?

식: $\begin{array}{r} 95 \\ -\ 76 \\ \hline 19 \end{array}$ 답: 19마리

① 형이 수확한 쌀은 55가마니, 동생이 수확한 쌀은 57가마니입니다. 두 사람이 수확한 쌀은 모두 몇 가마니일까요?

식: $\begin{array}{r} 55 \\ +\ 57 \\ \hline 112 \end{array}$ 답: 112가마니

② 공원에 참나무가 61그루, 밤나무가 25그루 있습니다. 참나무는 밤나무보다 몇 그루 더 많을까요?

식: $\begin{array}{r} 61 \\ -\ 25 \\ \hline 36 \end{array}$ 답: 36그루

③ 우영이의 몸무게는 29 kg, 아빠의 몸무게는 61 kg입니다. 저울에 우영이와 아빠가 함께 올라가면 몇 kg이 나올까요?

식: $\begin{array}{r} 29 \\ +\ 61 \\ \hline 90 \end{array}$ 답: 90kg

26 B2-덧셈과 뺄셈 | 2주: 덧셈과 뺄셈 27

P 28 ~ 29

5일 덧셈과 뺄셈 종합

덧셈과 뺄셈 중 어느 것을 써야 할지 먼저 결정해야 해.

알맞은 식을 쓰고 답을 구하세요.

송이 마을에 23명이 살고 있었는데 79명이 더 이사왔습니다. 송이 마을에 살고 있는 사람들은 몇 명이 되었을까요?

식 : $\begin{array}{r} 2\ 3 \\ +\ 7\ 9 \\ \hline 1\ 0\ 2 \end{array}$ 답 : 102명

① 수지빌딩은 36층이고, 기원빌딩은 수지빌딩보다 44층 더 높습니다. 기원빌딩은 몇 층일까요?

식 : $\begin{array}{r} 3\ 6 \\ +\ 4\ 4 \\ \hline 8\ 0 \end{array}$ 답 : 80층

② 냉장고에 갈색 달걀이 92개, 흰색 달걀이 46개 있습니다. 갈색 달걀은 흰색 달걀보다 몇 개 더 많을까요?

식 : $\begin{array}{r} 9\ 2 \\ -\ 4\ 6 \\ \hline 4\ 6 \end{array}$ 답 : 46개

③ 올해 할아버지의 연세는 72살입니다. 5년 전에 할아버지의 연세는 몇 살이었을까요?

식 : $\begin{array}{r} 7\ 2 \\ -\ \ \ 5 \\ \hline 6\ 7 \end{array}$ 답 : 67살

④ 연못에 오리가 68마리, 두루미가 8마리 있습니다. 연못에 있는 오리와 두루미는 모두 몇 마리일까요?

식 : $\begin{array}{r} 6\ 8 \\ +\ \ \ 8 \\ \hline 7\ 6 \end{array}$ 답 : 76마리

⑤ 8월은 31일까지 있습니다. 8월 중 19일은 학원에 갔다면 학원에 가지 않은 날은 며칠일까요?

식 : $\begin{array}{r} 3\ 1 \\ -\ 1\ 9 \\ \hline 1\ 2 \end{array}$ 답 : 12일

⑥ 체육 창고에 야구공이 73개, 배구공이 34개 있습니다. 야구공은 배구공보다 몇 개 더 많을까요?

식 : $\begin{array}{r} 7\ 3 \\ -\ 3\ 4 \\ \hline 3\ 9 \end{array}$ 답 : 39개

⑦ 과일 가게에 망고가 88개 있었는데 70개를 더 가져왔습니다. 과일 가게에 있는 망고는 모두 몇 개일까요?

식 : $\begin{array}{r} 8\ 8 \\ +\ 7\ 0 \\ \hline 1\ 5\ 8 \end{array}$ 답 : 158개

P 30 ~ 31

확인학습

① 35보다 47 큰 수는 얼마일까요?

식 : $\begin{array}{r} 3\ 5 \\ +\ 4\ 7 \\ \hline 8\ 2 \end{array}$ 답 : 82

② 46과 81의 차는 얼마일까요?

식 : $\begin{array}{r} 8\ 1 \\ -\ 4\ 6 \\ \hline 3\ 5 \end{array}$ 답 : 35

알맞은 식을 쓰고 답을 구하세요.

③ 현중이는 스티커 27장을 가지고 있었는데 8장을 공책에 붙였습니다. 현중이에게 남은 스티커는 몇 장일까요?

식 : $\begin{array}{r} 2\ 7 \\ -\ \ \ 8 \\ \hline 1\ 9 \end{array}$ 답 : 19장

④ 바둑돌이 통에 61개 들어 있었는데 95개를 더 넣었습니다. 통에 들어 있는 바둑돌은 모두 몇 개일까요?

식 : $\begin{array}{r} 6\ 1 \\ +\ 9\ 5 \\ \hline 1\ 5\ 6 \end{array}$ 답 : 156개

알맞은 식을 쓰고 답을 구하세요.

⑤ 마트에 고등어가 25마리 있고, 조기는 고등어보다 56마리 더 많습니다. 마트에 있는 조기는 몇 마리일까요?

식 : $\begin{array}{r} 2\ 5 \\ +\ 5\ 6 \\ \hline 8\ 1 \end{array}$ 답 : 81마리

⑥ 연아가 가진 연필은 44자루이고, 기현이는 연아보다 38자루 더 적게 가지고 있습니다. 기현이가 가지고 있는 연필은 몇 자루일까요?

식 : $\begin{array}{r} 4\ 4 \\ -\ 3\ 8 \\ \hline 6 \end{array}$ 답 : 6자루

⑦ 검은 바둑돌은 77개, 흰 바둑돌은 59개 있습니다. 검은 바둑돌은 흰 바둑돌보다 몇 개 더 많을까요?

식 : $\begin{array}{r} 7\ 7 \\ -\ 5\ 9 \\ \hline 1\ 8 \end{array}$ 답 : 18개

⑧ 꽃집에 국화가 19송이, 카네이션이 43송이 있습니다. 꽃집에 있는 국화와 카네이션은 모두 몇 송이일까요?

식 : $\begin{array}{r} 1\ 9 \\ +\ 4\ 3 \\ \hline 6\ 2 \end{array}$ 답 : 62송이

P 32

확인학습

알맞은 식을 쓰고 답을 구하세요.

⑨ 목욕탕에 칫솔이 70개 있고, 치약은 칫솔보다 53개 더 적습니다. 목욕탕에 있는 치약은 몇 개일까요?

식 : $70 - 53 = 17$　　답 : 17개

⑩ 하은이의 강아지는 태어날 때 키가 16 cm였는데 석 달 동안 59 cm 더 자랐습니다. 강아지의 키는 몇 cm일까요?

식 : $16 + 59 = 75$　　답 : 75 cm

⑪ 수족관에 물고기 45마리가 있었는데 17마리를 작은 어항으로 옮겼습니다. 수족관에 남은 물고기는 몇 마리일까요?

식 : $45 - 17 = 28$　　답 : 28마리

⑫ 식목일에 1반 학생들은 나무 79그루를 심었고, 2반 학생들은 59그루를 심었습니다. 두 반 학생들이 심은 나무는 모두 몇 그루일까요?

식 : $79 + 59 = 138$　　답 : 138그루

32 B2-덧셈과 뺄셈

P 34 ~ 35

1일 덧셈식과 뺄셈식

수가 같은 덧셈식 2개와 뺄셈식 2개를 만들 수 있어.

덧셈식은 뺄셈식으로, 뺄셈식은 덧셈식으로 나타내어 보세요.

18 + 8 = 26 → 26 - 18 = 8, 26 - 8 = 18

① 27 + 14 = 41 → 41 - 27 = 14, 41 - 14 = 27

② 35 - 9 = 26 → 9 + 26 = 35, 26 + 9 = 35

③ 44 - 35 = 9 → 35 + 9 = 44, 9 + 35 = 44

덧셈식과 뺄셈식을 보고 빈칸에 알맞은 수를 써넣으세요.

24 + 26 = 50 → 50 - 26 = 24 (□ + 26 = 50, □ = 50 - 26 = 24)

① 45 + 18 = 63 → 63 - 45 = 18

② 70 - 15 = 55 → 15 + 55 = 70

③ 48 - 19 = 29 → 48 - 29 = 19

P 36 ~ 37

2일 어떤 수 구하기

식을 만들고 덧셈과 뺄셈의 관계를 생각하여 답을 구해 봐.

어떤 수를 □로 하여 덧셈식을 만들고 어떤 수를 구해 보세요.

어떤 수에 15를 더했더니 32가 되었습니다. 어떤 수는 얼마일까요?

식: □+15=32 (32 - 15 = □) 답: 17

① 어떤 수와 9의 합은 24입니다. 어떤 수는 얼마일까요?

식: □+9=24 답: 15

② 25에 어떤 수를 더했더니 50이 되었습니다. 어떤 수는 얼마일까요?

식: 25+□=50 답: 25

③ 어떤 수보다 27 큰 수는 33입니다. 어떤 수는 얼마일까요?

식: □+27=33 답: 6

④ 36과 어떤 수의 합은 84입니다. 어떤 수는 얼마일까요?

식: 36+□=84 답: 48

어떤 수를 □로 하여 뺄셈식을 만들고 어떤 수를 구해 보세요.

어떤 수에서 8을 뺐더니 27이 되었습니다. 어떤 수는 얼마일까요?

식: □-8=27 (27 + 8 = □) 답: 35

① 어떤 수보다 18 작은 수는 62입니다. 어떤 수는 얼마일까요?

식: □-18=62 답: 80

② 45에서 어떤 수를 뺐더니 18이 되었습니다. 어떤 수는 얼마일까요?

식: 45-□=18 답: 27

③ 83보다 어떤 수만큼 작은 수는 44입니다. 어떤 수는 얼마일까요?

식: 83-□=44 답: 39

④ 어떤 수에서 28을 뺐더니 63이 되었습니다. 어떤 수는 얼마일까요?

식: □-28=63 답: 91

P 38 ~ 39

3일 어떤 수 덧셈

덧셈식은 같은 수의 뺄셈식을 만들어서 답을 구할 수 있어.

□가 있는 식을 쓰고 답을 구하세요.

농장에 소 몇 마리와 돼지 47마리가 있습니다. 소와 돼지는 모두 55마리일 때, 소는 몇 마리일까요?

식 : □+47=55 답 : 8마리

55 - 47 = □

① 호진이가 우표 33장을 더 모았더니 모두 70장이 되었습니다. 호진이가 원래 가지고 있던 우표는 몇 장이었을까요?

식 : □+33=70 답 : 37장

② 공원에 은행나무 17그루를 더 심었더니 모두 25그루가 되었습니다. 공원에 원래 있던 은행나무는 몇 그루였을까요?

식 : □+17=25 답 : 8그루

③ 흰 바둑돌은 검은 바둑돌보다 58개 더 많은 97개입니다. 검은 바둑돌은 몇 개일까요?

식 : □+58=97 답 : 39개

□가 있는 식을 쓰고 답을 구하세요.

교실에 6명이 있었는데 몇 명이 더 와서 42명이 되었습니다. 교실에 더 온 사람은 몇 명일까요?

식 : 6+□=42 답 : 36명

42 - 6 = □

① 튤립 18송이와 장미 몇 송이를 모두 모았더니 66송이가 되었습니다. 장미는 몇 송이일까요?

식 : 18+□=66 답 : 48송이

② 책장에 책 63권이 꽂혀 있었는데 몇 권을 더 꽂았더니 71권이 되었습니다. 더 꽂은 책은 몇 권일까요?

식 : 63+□=71 답 : 8권

③ 올해 우리 반 선생님은 49살입니다. 선생님이 82살이 되는 것은 몇 년 후일까요?

식 : 49+□=82 답 : 33년

38 B2-덧셈과 뺄셈 · 3주: 어떤 수 구하기 39

P 40 ~ 41

4일 어떤 수 뺄셈

어떤 수를 빼는 식은 뺄셈식으로 바꾸어서 해결해야 해.

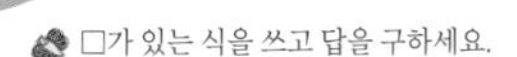

□가 있는 식을 쓰고 답을 구하세요.

나무 위에 참새가 몇 마리 있었는데 13마리가 날아가고 17마리가 남았습니다. 나무 위에 원래 있던 참새는 몇 마리였을까요?

식 : □-13=17 답 : 30마리

17 + 13 = □

① 과일 가게에 있는 참외는 사과보다 35개 더 적은 46개입니다. 과일 가게에 있는 사과는 몇 개일까요?

식 : □-35=46 답 : 81개

② 현태는 과자 몇 개를 가지고 있었는데 9개를 먹고 29개가 남았습니다. 현태가 원래 가지고 있던 과자는 몇 개였을까요?

식 : □-9=29 답 : 38개

③ 빨강 색종이는 파랑 색종이보다 44장 더 적은 17장입니다. 파랑 색종이는 몇 장일까요?

식 : □-44=17 답 : 61장

□가 있는 식을 쓰고 답을 구하세요.

올해 할머니는 60살입니다. 할머니가 55살이었을 때는 몇 년 전일까요?

식 : 60-□=55 답 : 5년

60-55=□

① 냉장고에 달걀이 37개 있었는데 몇 개를 먹었더니 18개가 남았습니다. 먹은 달걀은 몇 개일까요?

식 : 37-□=18 답 : 19개

② 진우가 42권이 완결인 만화책을 몇 권 읽고 7권 남았습니다. 진우가 읽은 만화책은 몇 권일까요?

식 : 42-□=7 답 : 35권

③ 연못에 올챙이가 85마리 있었는데 몇 마리가 개구리로 변하고 58마리가 남았습니다. 개구리로 변한 올챙이는 몇 마리일까요?

식 : 85-□=58 답 : 27마리

40 B2-덧셈과 뺄셈 · 3주: 어떤 수 구하기 41

P 42 ~ 43

5일 잘못된 계산

먼저 네모가 있는 식을 세워서 어떤 수를 구해 봐.

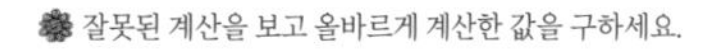

잘못된 계산을 보고 올바르게 계산한 값을 구하세요.

어떤 수에 17을 더해야 할 것을 잘못하여 뺐더니 36이 되었습니다. 올바르게 계산한 값은 얼마일까요?

식①: □-17=36 (36 + 17 = □) 어떤 수: 53

식②: 53+17=70 답: 70

① 어떤 수에 25를 더해야 할 것을 잘못하여 뺐더니 35가 되었습니다. 올바르게 계산한 값은 얼마일까요?

식①: □-25=35 어떤 수: 60

식②: 60+25=85 답: 85

② 어떤 수에서 23을 빼야 할 것을 잘못하여 더했더니 52가 되었습니다. 올바르게 계산한 값은 얼마일까요?

식①: □+23=52 어떤 수: 29

식②: 29-23=6 답: 6

③ 어떤 수에서 38을 빼야 할 것을 잘못하여 더했더니 93이 되었습니다. 올바르게 계산한 값은 얼마일까요?

식①: □+38=93 어떤 수: 55

식②: 55-38=17 답: 17

④ 어떤 수에 36을 더해야 할 것을 잘못하여 뺐더니 8이 되었습니다. 올바르게 계산한 값은 얼마일까요?

식①: □-36=8 어떤 수: 44

식②: 44+36=80 답: 80

⑤ 어떤 수에서 27을 빼야 할 것을 잘못하여 더했더니 69가 되었습니다. 올바르게 계산한 값은 얼마일까요?

식①: □+27=69 어떤 수: 42

식②: 42-27=15 답: 15

42 B2-덧셈과 뺄셈 · 3주: 어떤 수 구하기 43

P 44 ~ 45

확인학습

어떤 수를 □로 하여 식을 만들고 어떤 수를 구해 보세요.

① 어떤 수보다 38 큰 수는 50입니다. 어떤 수는 얼마일까요?

식: □+38=50 답: 12

② 74에서 어떤 수를 뺐더니 65가 되었습니다. 어떤 수는 얼마일까요?

식: 74-□=65 답: 9

③ 26과 어떤 수의 합은 63입니다. 어떤 수는 얼마일까요?

식: 26+□=63 답: 37

④ 어떤 수보다 14 작은 수는 38입니다. 어떤 수는 얼마일까요?

식: □-14=38 답: 52

⑤ 17에 어떤 수를 더했더니 41이 되었습니다. 어떤 수는 얼마일까요?

식: 17+□=41 답: 24

□가 있는 식을 쓰고 답을 구하세요.

⑥ 햄버거 가게에서 햄버거 16개를 더 만들었더니 햄버거가 모두 43개가 되었습니다. 원래 있던 햄버거는 몇 개였을까요?

식: □+16=43 답: 27개

⑦ 이층 버스에 54명이 타고 있었는데 몇 명이 내렸더니 19명이 남았습니다. 내린 사람은 몇 명일까요?

식: 54-□=19 답: 35명

⑧ 초이는 동화책을 36쪽까지 읽었습니다. 동화책이 84쪽까지 있을 때, 초이가 더 읽어야 하는 동화책은 몇 쪽일까요?

식: 36+□=84 답: 48쪽

⑨ 수아가 눈덩이를 만들어서 38개는 던지고 18개 남았습니다. 수아가 만든 눈덩이는 몇 개였을까요?

식: □-38=18 답: 56개

44 B2-덧셈과 뺄셈 · 3주: 어떤 수 구하기 45

P 46

확인학습

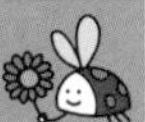

잘못된 계산을 보고 올바르게 계산한 값을 구하세요.

⑩ 어떤 수에 23을 더해야 할 것을 잘못하여 뺐더니 29가 되었습니다. 올바르게 계산한 값은 얼마일까요?

식 ① : □-23=29 어떤 수 : 52

식 ② : 52+23=75 답 : 75

⑪ 어떤 수에서 9를 빼야 할 것을 잘못하여 더했더니 74가 되었습니다. 올바르게 계산한 값은 얼마일까요?

식 ① : □+9=74 어떤 수 : 65

식 ② : 65-9=56 답 : 56

⑫ 어떤 수에서 34를 빼야 할 것을 잘못하여 더했더니 93이 되었습니다. 올바르게 계산한 값은 얼마일까요?

식 ① : □+34=93 어떤 수 : 59

식 ② : 59-34=25 답 : 25

46 B2-덧셈과 뺄셈

P 48 ~ 49

1일 더하고 더하기

세 수를 더할 때는 앞에서부터 차례대로 계산하면 돼.

❁ 식 2개를 만들어서 답을 구하세요.

책장에 동화책 19권과 만화책 8권이 있었는데 책 25권을 더 사서 꽂았습니다. 책장에 있는 책은 모두 몇 권일까요?

식 ①: 19+8=27 (동화책)+(만화책)

식 ②: 27+25=52 (원래 있던 책)+(더 사서 꽂은 책) 답: 52권

① 냉장고에 흰색 달걀이 27개, 갈색 달걀이 18개 있었는데 달걀 20개를 더 사 넣었습니다. 냉장고에 있는 달걀은 모두 몇 개일까요?

식 ①: 27+18=45

식 ②: 45+20=65 답: 65개

② 감자를 형우는 45개 캤고, 석민이는 21개 캐서 바구니에 담았습니다. 원래 바구니에 있던 감자가 26개일 때 바구니에 담긴 감자는 모두 몇 개일까요?

식 ①: 45+21=66

식 ②: 66+26=92 답: 92개

❁ 알맞은 식을 쓰고 답을 구하세요.

놀이터에 아이들이 13명 있었습니다. 잠시 후 8명이 더 왔고, 다시 19명이 더 왔습니다. 놀이터에 있는 아이들은 몇 명일까요?

식: 13+8+19=40 (21+19=40) 답: 40명

① 빨강 색종이가 21장, 파랑 색종이가 43장, 노랑 색종이가 19장 있습니다. 색종이는 모두 몇 장일까요?

식: 21+43+19=83 답: 83장

② 성우는 초록색 별사탕 18개와 보라색 별사탕 25개를 가지고 있습니다. 명진이는 성우보다 별사탕을 32개 더 가지고 있을 때 명진이가 가진 별사탕은 몇 개일까요?

식: 18+25+32=75 답: 75개

③ 수족관에 열대어가 33마리, 거북이가 8마리, 가재가 15마리 있습니다. 수족관에 있는 동물은 모두 몇 마리일까요?

식: 33+8+15=56 답: 56마리

48 B2-덧셈과 뺄셈 / 4주: 세 수의 계산 49

P 50 ~ 51

2일 더하고 빼기

어떤 것을 더하고 어떤 것을 빼야 할지 잘 구분해야 돼.

식 2개를 만들어서 답을 구하세요.

초콜릿을 태인이가 23개, 아른이가 11개 가지고 있었는데 초콜릿 17개를 나누어 먹었습니다. 남은 초콜릿은 몇 개일까요?

식 ①: 23+11=34 (태인이의 초콜릿)+(아른이의 초콜릿)

식 ②: 34-17=17 (두 사람이 가진 초콜릿)-(먹은 초콜릿) 답: 17개

① 강당에 여학생 47명과 남학생 9명이 있었는데 21명이 강당을 나갔습니다. 강당에 남은 학생은 몇 명일까요?

식 ①: 47+9=56

식 ②: 56-21=35 답: 35명

② 마리는 백 원짜리 동전 19개와 십 원짜리 동전 38개를 가지고 있고, 혁우는 마리보다 동전을 27개 더 적게 가지고 있습니다. 혁우가 가진 동전은 몇 개일까요?

식 ①: 19+38=57

식 ②: 57-27=30 답: 30개

알맞은 식을 쓰고 답을 구하세요.

행복 마을에 66명이 살고 있었는데 17명이 새로 이사 왔고, 23명이 다른 마을로 이사를 갔습니다. 행복 마을에는 몇 명이 살고 있을까요?

식: 66+17-23=60 (83-23=60) 답: 60명

① 아린이는 4살입니다. 아린이의 외삼촌은 아린이보다 48살 많고, 이모는 외삼촌보다 13살 어립니다. 아린이 이모는 몇 살일까요?

식: 4+48-13=39 답: 39살

② 과일 가게에 복숭아가 19개, 참외가 29개 있었는데 참외 15개를 팔았습니다. 남은 복숭아와 참외는 몇 개일까요?

식: 19+29-15=33 답: 33개

③ 가람이는 종이배를 오전에 36대, 오후에 17대 접었고, 나은이는 51대 접었습니다. 가람이는 나은이보다 종이배를 몇 대 더 접었을까요?

식: 36+17-51=2 답: 2대

50 B2-덧셈과 뺄셈 / 4주: 세 수의 계산 51

P 52 ~ 53

3일 빼고 더하기

뺄셈식을 먼저 계산한 후, 나머지 수를 더하면 돼.

식 2개를 만들어서 답을 구하세요.

수영장에 26명이 있었는데 18명이 나가고 39명이 새로 들어왔습니다. 수영장에 있는 사람은 몇 명일까요?

식 ①: 26-18=8
(원래 있던 사람) - (나간 사람)

식 ②: 8+39=47 답: 47명
(남은 사람) + (새로 들어온 사람)

① 기연이는 색종이 63장을 가지고 있었는데 동생에게 27장을 주고, 15장을 더 샀습니다. 기연이가 가진 색종이는 몇 장일까요?

식 ①: 63-27=36

식 ②: 36+15=51 답: 51장

② 농장에 염소가 49마리 있습니다. 소는 염소보다 20마리 더 적고, 돼지는 소보다 44마리 더 많습니다. 농장에 있는 돼지는 몇 마리일까요?

식 ①: 49-20=29

식 ②: 29+44=73 답: 73마리

알맞은 식을 쓰고 답을 구하세요.

형진이는 사탕 50개 중 11개를 먹었고, 혜인이는 사탕 35개를 가지고 있습니다. 두 사람이 가진 사탕은 모두 몇 개일까요?

식: 50-11+35=74 답: 74개
39 + 35 = 74

① 극장 앞에 46명이 줄을 서 있었습니다. 7명이 입장하고 21명이 새로 줄을 섰을 때 줄을 선 사람은 몇 명일까요?

식: 46-7+21=60 답: 60명

② 마트에 주스가 25병 있었는데 그중 7병을 팔고 68병을 더 들여왔습니다. 마트에 있는 주스는 몇 병일까요?

식: 25-7+68=86 답: 86병

③ 도서관에 소설책이 71권 있습니다. 동화책은 소설책보다 17권 더 적고, 만화책은 동화책보다 15권 더 많습니다. 도서관에 있는 만화책은 몇 권일까요?

식: 71-17+15=69 답: 69권

52 B2-덧셈과 뺄셈 / 4주: 세 수의 계산 53

P 54 ~ 55

4일 빼고 빼기

빼고 빼는 식에서 뒤에 두 수를 더해서 한꺼번에 빼도 돼.

식 2개를 만들어서 답을 구하세요.

광장에 비둘기가 43마리 있었습니다. 잠시 후 15마리가 날아갔고, 다시 14마리가 더 날아갔습니다. 광장에 남은 비둘기는 몇 마리일까요?

식 ①: 43-15=28
(원래 있던 비둘기) - (날아간 비둘기)

식 ②: 28-14=14 답: 14마리
(남은 비둘기) - (더 날아간 비둘기)

① 색종이 70장이 있었는데 종이학을 접는 데 29장을 쓰고, 종이개구리를 접는 데 8장을 썼습니다. 남은 색종이는 몇 장일까요?

식 ①: 70-29=41

식 ②: 41-8=33 답: 33장

② 할머니는 62살이고, 아빠는 할머니보다 30살 더 어립니다. 예린이는 아빠보다 28살 더 어릴 때 예린이는 몇 살일까요?

식 ①: 62-30=32

식 ②: 32-28=4 답: 4살

알맞은 식을 쓰고 답을 구하세요.

은진이는 76쪽짜리 동화책을 어제 5쪽, 오늘 55쪽 읽었습니다. 남은 동화책은 몇 쪽일까요?

식: 76-5-55=16 답: 16쪽
71 - 55 = 16

① 화단에 장미 87송이가 피어 있습니다. 튤립은 장미보다 47송이 더 적게 피었고, 해바라기는 튤립보다 8송이 더 적게 피었습니다. 해바라기는 몇 송이일까요?

식: 87-47-8=32 답: 32송이

② 길이가 35 cm인 양초가 있습니다. 한 시간 뒤에 양초의 길이는 9 cm 줄었고, 다시 한 시간 뒤에 12 cm 더 줄었습니다. 양초의 길이는 몇 cm일까요?

식: 35-9-12=14 답: 14 cm

③ 중고 자동차 매장에 자동차가 58대 있었는데 오전에 16대, 오후에 25대를 팔았습니다. 남은 자동차는 몇 대일까요?

식: 58-16-25=17 답: 17대

54 B2-덧셈과 뺄셈 / 4주: 세 수의 계산 55

4주 세 수의 계산

P 56 ~ 57

5일 세 수의 계산 종합

더해야 하는데 빼는 실수를 한 적이 누구나 있지 않아?

알맞은 식을 쓰고 답을 구하세요.

개미집에 개미 35마리가 있었습니다. 개미 28마리가 개미집을 나갔고, 62마리가 개미집으로 돌아왔습니다. 개미집에 있는 개미는 몇 마리일까요?

식 : 35-28+62=69　　답 : 69마리

7 + 62 = 69

① 공원에 참나무가 15그루, 은행나무가 16그루, 버드나무가 18그루 있습니다. 공원에 있는 나무는 모두 몇 그루일까요?

식 : 15+16+18=49　　답 : 49그루

② 동근이는 과자 80개를 가지고 있었는데 11개는 먹고, 29개는 친구들에게 나누어 주었습니다. 남은 과자는 몇 개일까요?

식 : 80-11-29=40　　답 : 40개

③ 놀이 공원에 남자 아이 63명, 여자 아이 33명이 있었는데 그중 27명이 놀이 공원을 나갔습니다. 놀이 공원에 남은 아이는 몇 명일까요?

식 : 63+33-27=69　　답 : 69명

④ 동물원에 늑대가 30마리 있습니다. 여우는 늑대보다 5마리 더 적고, 사자는 여우보다 7마리 더 적습니다. 동물원에 있는 사자는 몇 마리일까요?

식 : 30-5-7=18　　답 : 18마리

⑤ 교실 책장에 소설책 67권, 동화책 17권이 있었는데 그중 77권을 아이들이 빌려갔습니다. 교실 책장에 남은 책은 몇 권일까요?

식 : 67+17-77=7　　답 : 7권

⑥ 경태는 월요일에 줄넘기를 39번 넘었고, 화요일에 39번, 수요일에 11번 넘었습니다. 경태가 3일 동안 넘은 줄넘기는 모두 몇 번일까요?

식 : 39+39+11=89　　답 : 89번

⑦ 미래는 52쪽짜리 동화책 중 13쪽을 읽었고, 39쪽짜리 만화책도 읽으려고 합니다. 미래가 읽어야 하는 책은 모두 몇 쪽일까요?

식 : 52-13+39=78　　답 : 78쪽

56 B2-덧셈과 뺄셈　　4주: 세 수의 계산 57

P 58 ~ 59

확인학습

알맞은 식을 쓰고 답을 구하세요.

① 통에 흰 바둑돌 15개와 검은 바둑돌 36개가 있었는데, 바둑돌 23개를 더 넣었습니다. 통에 있는 바둑돌은 모두 몇 개일까요?

식 : 15+36+23=74　　답 : 74개

② 고운이가 줄넘기를 월요일에 9번, 화요일에 19번, 수요일에 30번 넘었습니다. 3일 동안 고운이가 넘은 줄넘기는 몇 번일까요?

식 : 9+19+30=58　　답 : 58번

알맞은 식을 쓰고 답을 구하세요.

③ 아빠의 몸무게는 59 kg이고, 아빠 가방의 무게는 12 kg입니다. 엄마의 몸무게는 53 kg일 때, 가방을 맨 아빠는 엄마보다 몇 kg 더 나갈까요?

식 : 59+12-53=18　　답 : 18 kg

④ 버스에 26명이 타고 있었는데 정류장에서 24명이 타고 4명이 내렸습니다. 버스에 타고 있는 사람은 몇 명일까요?

식 : 26+24-4=46　　답 : 46명

알맞은 식을 쓰고 답을 구하세요.

⑤ 냉장고에 체리 69개가 있었는데 오전에 23개를 먹고 오후에 18개를 더 사와서 넣었습니다. 냉장고에 있는 체리는 몇 개일까요?

식 : 69-23+18=64　　답 : 64개

⑥ 지현이는 수학 문제 20문제를 풀었습니다. 현태는 지현이보다 11문제 덜 풀었고, 강우는 현태보다 77문제 더 풀었습니다. 강우가 푼 문제는 몇 문제일까요?

식 : 20-11+77=86　　답 : 86문제

알맞은 식을 쓰고 답을 구하세요.

⑦ 광대 아저씨가 풍선 73개를 불었습니다. 그중 8개는 아이들에게 나누어 주고 19개는 그만 터지고 말았습니다. 남은 풍선은 몇 개일까요?

식 : 73-8-19=46　　답 : 46개

⑧ 아이들이 종이비행기 44대를 접었습니다. 종이학은 종이비행기보다 11대 더 적게 접었고, 종이배는 종이학보다 18대 더 적게 접었습니다. 종이배는 몇 대일까요?

식 : 44-11-18=15　　답 : 15대

58 B2-덧셈과 뺄셈　　4주: 세 수의 계산 59

P 60

확인학습

✎ 알맞은 식을 쓰고 답을 구하세요.

⑨ 준우는 오백 원짜리 동전 6개와 백 원짜리 동전 46개를 가지고 있었는데 그중 21개를 저금통에 넣었습니다. 남은 동전은 몇 개일까요?

식 : 6+46-21=31　　답 : 31개

⑩ 주차장에 자동차가 84대 있었는데 80대가 빠져나가고 7대가 더 왔습니다. 주차장에 있는 자동차는 몇 대일까요?

식 : 84-80+7=11　　답 : 11대

⑪ 수지가 가진 동물 스티커는 63장입니다. 별 스티커는 동물 스티커보다 5장 더 많고, 하트 스티커는 별 스티커보다 12장 더 많습니다. 하트 스티커는 몇 장일까요?

식 : 63+5+12=80　　답 : 80장

⑫ 운동장에 학생들이 51명 있었는데 34명은 교실로 돌아갔고, 7명은 체육관으로 들어갔습니다. 운동장에 남은 학생은 몇 명일까요?

식 : 51-34-7=10　　답 : 10명

60 B2-덧셈과 뺄셈

5주 진단평가

P62 ~ 63

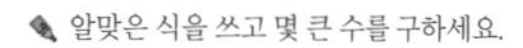

1회차 진단평가

월 일
제한 시간 10분
맞은 개수 / 8개

✎ 알맞은 식을 쓰고 몇 큰 수를 구하세요.

① 95보다 33 큰 수는 얼마일까요?

식 : 95 + 33 = 128 　답 : 128

② 37보다 55 큰 수는 얼마일까요?

식 : 37 + 55 = 92 　답 : 92

✎ 알맞은 식을 쓰고 답을 구하세요.

③ 과일 가게에 참외가 62개, 수박이 7개 있습니다. 참외는 수박보다 몇 개 더 많을까요?

식 : 62 − 7 = 55 　답 : 55개

④ 도서관에 소설책이 48권, 동화책이 71권 있습니다. 도서관에 있는 소설책과 동화책은 모두 몇 권일까요?

식 : 48 + 71 = 119 　답 : 119권

✎ 잘못된 계산을 보고 올바르게 계산한 값을 구하세요.

⑤ 어떤 수에 45를 더해야 할 것을 잘못하여 뺐더니 8이 되었습니다. 올바르게 계산한 값은 얼마일까요?

식 ① : □−45=8 　어떤 수 : 53

식 ② : 53+45=98 　답 : 98

⑥ 어떤 수에서 25를 빼야 할 것을 잘못하여 더했더니 83이 되었습니다. 올바르게 계산한 값은 얼마일까요?

식 ① : □+25=83 　어떤 수 : 58

식 ② : 58−25=33 　답 : 33

✎ 알맞은 식을 쓰고 답을 구하세요.

⑦ 고모는 48살이고, 고종 사촌은 고모보다 24살 어립니다. 17년 뒤에 고종 사촌은 몇 살일까요?

식 : 48−24+17=41 　답 : 41살

⑧ 빨강 색종이 62장 중 5장은 썼고, 파랑 색종이는 20장 있습니다. 두 색종이는 모두 몇 장일까요?

식 : 62−5+20=77 　답 : 77장

62 B2-덧셈과 뺄셈 　　　　진단평가 63

P 64 ~ 65

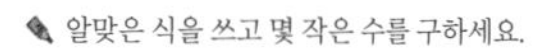

2회차 진단평가

월 일
제한 시간 10분
맞은 개수 / 8개

✎ 알맞은 식을 쓰고 몇 작은 수를 구하세요.

① 22보다 16 작은 수는 얼마일까요?

식 : 22 − 16 = 6 　답 : 6

② 55보다 37 작은 수는 얼마일까요?

식 : 55 − 37 = 18 　답 : 18

✎ 알맞은 식을 쓰고 답을 구하세요.

③ 연주는 연필 47자루와 볼펜 39자루를 샀습니다. 연주가 산 연필은 볼펜보다 몇 자루 더 많을까요?

식 : 47 − 39 = 8 　답 : 8자루

④ 강우는 종이개구리를 47마리 접었고, 종이학은 종이개구리보다 92마리 더 접었습니다. 강우가 접은 종이학은 몇 마리일까요?

식 : 47 + 92 = 139 　답 : 139마리

✎ 어떤 수를 □로 하여 덧셈식을 만들고 어떤 수를 구해 보세요.

⑤ 어떤 수와 5의 합은 51입니다. 어떤 수는 얼마일까요?

식 : □+5=51 　답 : 46

⑥ 48에 어떤 수를 더했더니 93이 되었습니다. 어떤 수는 얼마일까요?

식 : 48+□=93 　답 : 45

✎ 알맞은 식을 쓰고 답을 구하세요.

⑦ 상은이네 가족은 고구마를 96개 캤는데 67개는 이웃에게 나누어 주고, 8개를 먹었습니다. 남은 고구마는 몇 개일까요?

식 : 96−67−8=21 　답 : 21개

⑧ 할머니는 올해 54살이고, 외삼촌은 할머니보다 18살 더 어립니다. 나래는 외삼촌보다 18살 더 어릴 때 나래는 몇 살일까요?

식 : 54−18−18=18 　답 : 18살

64 B2-덧셈과 뺄셈 　　　　진단평가 65

P 66 ~ 67

3회차 진단평가

월 일 / 제한 시간 10분 / 맞은 개수 / 8개

✎ 수 카드로 만든 두 자리 수보다 몇 큰 수를 구하세요.

① 수 카드 3장 중 2장을 골라 둘째로 작은 두 자리 수를 만들었습니다. 만든 수보다 71 큰 수를 구하세요.

2 9 5

식: $29 + 71 = 100$ 답: 100

② 수 카드 4장 중 2장을 골라 가장 큰 두 자리 수를 만들었습니다. 만든 수보다 9 큰 수를 구하세요.

1 2 7 0

식: $72 + 9 = 81$ 답: 81

✎ 알맞은 식을 쓰고 답을 구하세요.

③ 77 더하기 88은 얼마일까요?

식: $77 + 88 = 165$ 답: 165

④ 31보다 22 작은 수는 얼마일까요?

식: $31 - 22 = 9$ 답: 9

✎ 어떤 수를 □로 하여 뺄셈식을 만들고 어떤 수를 구해 보세요.

⑤ 21에서 어떤 수를 뺐더니 3이 되었습니다. 어떤 수는 얼마일까요?

식: 21−□=3 답: 18

⑥ 어떤 수보다 77 작은 수는 15입니다. 어떤 수는 얼마일까요?

식: □−77=15 답: 92

✎ 알맞은 식을 쓰고 답을 구하세요.

⑦ 은하는 18살입니다. 엄마는 은하보다 42살 더 많고, 언니는 엄마보다 33살 더 어립니다. 은하의 언니는 몇 살일까요?

식: 18+42−33=27 답: 27살

⑧ 사과나무에 사과가 58개 열려 있었습니다. 그중 32개는 땄고, 46개가 더 열렸습니다. 사과나무에 있는 사과는 몇 개일까요?

식: 58−32+46=72 답: 72개

66 B2-덧셈과 뺄셈 진단평가 67

P 68 ~ 69

4회차 진단평가

월 일 / 제한 시간 10분 / 맞은 개수 / 8개

✎ 수 카드로 만든 두 자리 수보다 몇 작은 수를 구하세요.

① 수 카드 3장 중 2장을 골라 둘째로 작은 두 자리 수를 만들었습니다. 만든 수보다 39 작은 수를 구하세요.

6 5 7

식: $57 - 39 = 18$ 답: 18

② 수 카드 4장 중 2장을 골라 가장 큰 두 자리 수를 만들었습니다. 만든 수보다 29 작은 수를 구하세요.

식: $76 - 29 = 47$ 답: 47

✎ 알맞은 식을 쓰고 답을 구하세요.

③ 하늘에 드론이 36대 떠 있었는데 37대를 더 띄웠습니다. 하늘에 있는 드론은 모두 몇 대일까요?

식: $36 + 37 = 73$ 답: 73대

④ 채소 가게에 감자가 73개 있었는데 14개를 팔았습니다. 채소 가게에 남은 감자는 몇 개일까요?

식: $73 - 14 = 59$ 답: 59개

✎ □가 있는 식을 쓰고 답을 구하세요.

⑤ 엄마가 오전에 쿠키 22개를 만들고 오후에 몇 개를 더 만들었더니 모두 31개가 되었습니다. 엄마가 오후에 만든 쿠키는 몇 개일까요?

식: 22+□=31 답: 9개

⑥ 강아지가 6개월 동안 78 cm 자라서 키가 93 cm가 되었습니다. 6개월 전 강아지의 키는 몇 cm였을까요?

식: □+78=93 답: 15cm

✎ 알맞은 식을 쓰고 답을 구하세요.

⑦ 희진이가 스티커 40장을 가지고 있고, 연우는 36장, 레이는 18장 가지고 있습니다. 세 사람이 가진 스티커는 모두 몇 장일까요?

식: 40+36+18=94 답: 94장

⑧ 나무 위에 참새가 51마리 앉아 있었습니다. 잠시 후 참새 7마리가 날아왔고, 다시 12마리가 더 날아왔습니다. 나무 위에 있는 참새는 모두 몇 마리일까요?

식: 51+7+12=70 답: 70마리

68 B2-덧셈과 뺄셈 진단평가 69

P 70 ~ 71

5회차 진단평가

월 일
제한 시간 10분
맞은 개수 / 8개

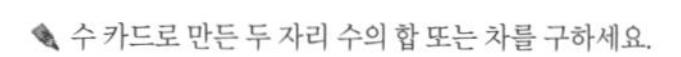

수 카드로 만든 두 자리 수의 합 또는 차를 구하세요.

① 수 카드 3장 중 2장을 골라 두 자리 수를 만들었습니다. 둘째로 작은 수와 가장 큰 수의 차를 구하세요.

4 2 0

식: $42 - 24 = 18$ 답: 18

② 수 카드 4장 중 2장을 골라 두 자리 수를 만들었습니다. 가장 작은 수와 둘째로 작은 수의 합을 구하세요.

7 2 8 6

식: $26 + 27 = 53$ 답: 53

알맞은 식을 쓰고 답을 구하세요.

③ 정원에 장미가 70송이 피었고, 해바라기는 장미보다 12송이 더 적게 피었습니다. 정원에 핀 해바라기는 몇 송이일까요?

식: $70 - 12 = 58$ 답: 58송이

④ 마을에 89채의 집이 있는데 내년까지 98채를 더 지으려고 합니다. 마을에 있는 집은 내년에 몇 채가 될까요?

식: $89 + 98 = 187$ 답: 187채

□가 있는 식을 쓰고 답을 구하세요.

⑤ 다람쥐가 도토리를 71개 모았는데 몇 개는 숨겨 놓고 17개를 남겼습니다. 다람쥐가 숨긴 도토리는 몇 개일까요?

식: 71-□=17 답: 54개

⑥ 테이가 가진 스티커는 정우가 가진 스티커보다 6장 적은 86장입니다. 정우가 가진 스티커는 몇 장일까요?

식: □-6=86 답: 92장

알맞은 식을 쓰고 답을 구하세요.

⑦ 피자 가게에서 피자를 오전에 53판, 오후에 35판 만들었고, 이 중 79판을 팔았습니다. 피자 가게에 남은 피자는 몇 판일까요?

식: 53+35-79=9 답: 9판

⑧ 꽃집에 튤립 25송이가 있습니다. 장미는 튤립보다 20송이 더 많고, 국화는 장미보다 8송이 더 적을 때 꽃집에 있는 국화는 몇 송이일까요?

식: 25+20-8=37 답: 37송이

70 B2-덧셈과 뺄셈 / 진단평가 71

“

The essence of mathematics is its freedom.

”

"수학의 본질은 그 자유로움에 있다."

Georg Cantor, 게오르크 칸토어